BUDDHIST HYBRID SANSKRIT READER

BUDDHIST HYBRID SANSKRIT READER

Edited with notes by

FRANKLIN EDGERTON

Sterling Professor of Sanskrit and Comparative Philology

Yale University

MOTILAL BANARSIDASS

DELHI : PATNA : VARANASI

Indological Publishers & Booksellers
Head Office : BUNGALOW ROAD JAWAHARNAGAR, DELHI-7
Branches : 1. CHOWK, VARANASI-1 (U.P.)
2. ASHOK RAJPATH, PATNA-4 (BIHAR)

By arrangement with Yale University Press, New Haven

First Edition : New Haven 1953
Reprint : Delhi 1972
Price Rs MLBD
Rs. 45/-

Printed in India
BY SHANTI LAL JAIN, AT SHRI JAINENDRA PRESS, BUNGALOW ROAD, JAWAHARNAGAR, DELHI-7 AND PUBLISHED BY SUNDARLAL JAIN FOR MOTILAL BANARSIDASS, BUNGALOW ROAD, JAWAHARNAGAR DELHI-7

PREFACE

It is hoped that this Reader will facilitate the practical use of my Grammar and Dictionary by scholars and students who may wish to acquaint themselves with the language, and by teachers who may wish to conduct courses in it. The most important texts are largely out of print and hard to find, except in large libraries; and even there, as a rule, only a single copy of each text will be found. Furthermore, it would hardly be an exaggeration to say that not one of the texts has been, in my opinion, satisfactorily edited. The selections here printed have been edited according to the principles which I think should be adopted for Buddhist Hybrid Sanskrit (BHS), so far as this is made possible by the variant readings furnished in the critical notes to the printed editions. The editors of the Mahāvastu, Mahāparinirvāṇasūtra, Udānavarga, and Lalitavistara, especially the first three, seem to have been careful and conscientious in reporting the exact readings of the mss. they used. Those of the Saddharmapuṇḍarīka (SP) were far less so; it has been proved (see my §1.74) that they were very careless; their critical notes often report readings of their mss. wrongly, and far oftener fail to report at all differences of reading which are found in some or even most of the mss. they used. They also obviously attempted to change the saṃdhi of the prose of SP to standard Sanskrit saṃdhi, while only rarely reporting the saṃdhi of the mss. For these reasons the SP selections printed here cannot claim to be very close to a real critical edition, and in particular look far more like standard Sanskrit than such an edition would look.

It is unnecessary to repeat here what has been said in the first chapter of the Grammar (see especially §§1.33–56; 1.69–77) on the BHS tradition and the way to deal with it. Lüders' principle (§1.40) should be universally applied: any non-Sanskritic form presented in the mss. must, in general, be regarded as closer to the original form of the text than a 'correct' Sanskrit variant. Most editors, even down to the present, have proceeded on the opposite principle. Indeed, many have gone farther, and 'corrected' into Sanskrit non-Sanskrit readings found in all their mss. The plain fact is that BHS is not Sanskrit. Copyists and late redactors did much to Sanskritize it, but never fully succeeded, and modern editors are wrong in carrying the process further. Every Middle Indic or semi-Middle Indic form found in any stream of tradition of any BHS work should, as a rule, be welcomed and adopted in the text, even if Sanskritized substitutes are recorded in the same sentence. All BHS texts, even the Mahāvastu, have been subjected to a good deal of Sanskritization, some of it very likely going back to the original composition of the work, but much of it, in the case of most if not all BHS works, introduced by copyists and redactors in the course of the tradition. The Middle-Indicisms, or hybrid forms, which escaped this process should be put into the texts, as a general principle; they constitute precious evidence of an earlier time when the texts were (as most of them certainly were) much less Sanskritized than they seem in our mss. (Such relic forms, by the way, are considerably more numerous, in the prose of such texts as SP, Lalita Vistara (LV), and Divyāvadāna, than is often supposed.) Instead, many editors try to suppress them, reporting them in notes if they are conscientious, but too often (like the SP editors) failing to do even that. The principles here set forth, like most sound general principles, are not to be applied mechanically; the context, as well as variant ms. readings, will vary from case to case, and each must be separately studied.

The verses present special problems of their own. Here the very brief statements in my Introduction (especially §1.38) must be supplemented by my article 'Meter, Phonology, and Orthography in Buddhist Hybrid Sanskrit,' JAOS 66.197-206. In this place I can only mention briefly a few general principles of fundamental importance. Most BHS verses belong to types known in Sanskrit (but LV, at least, also contains some verses in Apabhraṃśa meters). Their alternations of long and short syllables are as rigidly applied as in Sanskrit, except that in many meters two shorts may be substituted for one long, and one long for two shorts. An initial consonant cluster never 'makes position;' that is, a short vowel at the end of a preceding word constitutes a short syllable. In the seam of compounds, this rule is optional; that is, juncture may be close or open between the parts of a compound, which may be treated as one word or two in this respect. The reason for this peculiarity obviously is that what is written as an initial consonant cluster was originally pronounced in BHS as a single consonant, in Middle Indic fashion.

Still more strange, from the Sanskrit standpoint, is the free and seemingly arbitrary lengthening or shortening of a syllable metri causa. This is accomplished most commonly by lengthening or shortening a vowel, but also by nasalization or denasalization, and by doubling a consonant after a short vowel, or conversely simplifying a double consonant (or orthographic cluster). All these alterations metri causa are commonest at the end of a word, or of a part of a compound; but they also occur internally. In general, the last syllable of a pāda counts as long (that is, an automatic pause is implied); but occasionally, in some meters, lengthening m.c. seems to occur there, and even at the end of a line.

The recognition of these principles brings with it the corollary that once the meter of a verse is recognized it is sometimes necessary to emend the mss. in accord therewith. This is justified by the fact that the mss. themselves so regularly present such 'arbitrary' lengthenings and shortenings, when meter requires them, that we must assume copyists' errors when they fail to do so. In the verses of most texts, such failures are relatively rare. In the Mahāvastu they are commoner; but many of the verses of that text show in other respects that the copyists did not understand the meters; the mss. are often full of gross and obvious corruptions. This will be clear from the Mv verses found in this Reader. It is, in fact, sometimes hard to determine the meters of Mv verses; and sometimes the editor failed to see that they were verses at all. To establish the text of them a good deal of bold emendation is at times required. I cannot claim certainty for all of my attempts.

Abbreviations and Conventions Used in Notes:

Figures preceded by §(§) refer to the numbered sections of my BHS Grammar.

Indic words enclosed in parentheses, without comment, give the Standard Sanskrit equivalent of a BHS form.

Indic words preceded by 'for' give the reading of the text as printed, which has been changed here. When the word 'for' is preceded by 'mss.', this means that all mss. are reported to have the reading adopted by me. When it is preceded by 'v.l.', one or more of them read so. When it is preceded by 'm.c.', I have emended in accord with metrical requirements. The term '(metr.)' is used to call attention to the fact that metrical requirements have determined my choice (which however has support in the mss.).

'D.' refers to my BHS Dictionary, under the entry cited after D. When not followed by any entry, the entry to be sought is the word in the text to which the note refers.

'pron.' = pronounced, when the orthography is misleading; §1.38.

Other abbreviations will, it is hoped, be self-explanatory; and it is believed that they are all explained in the Bibliography and Abbreviations in the Grammar.

TABLE OF CONTENTS

1

The Deer-king and the Doe

Mahāvastu i.359.18–366.8. This celebrated tale, best known perhaps in its Pali version (Jātaka 12; i.149 ff.), is supposed, according to BHS tradition, to have had its scene laid in the 'deer-park' at Benares, to which it gave its name; see the end below. On the text of the Mahāvastu as a whole see the Bibliography to my Grammar, also §§1.34 (with n. 13), 36, 38, 44–48, 73. The punctuation of my text, in general, follows that of the mss., without report of Senart's alterations.

tahiṃ[1] vanakhaṇḍe Rohako nāma mṛgarājā mṛgasahasrayūthaṃ parihareti.[2] tasya duve putrā Nyagrodho ca nāma Viśākho[3] ca. tena dāni mṛgarājena ekasyāpi putrasya pañca mṛgaśatāni dinnāni aparasyāpi putrasya pañca mṛgaśatāni dinnāni. Brahmadatto Kāśirājā abhīkṣṇaṃ mṛgavyaṃ nirdhāvati taṃ vanaṣaṇḍaṃ parisāmantaṃ[4] tatra ca mṛgāni hanti.[5] na tattakāṃ mṛgāṃ[6] svayaṃ upajīvati yattakāni āhatakāni[7] vanagulmeṣu ca vanagahaneṣu ca śarahāreṣu[8] ca naḍakahāreṣu ca kaṇṭakahāreṣu ca praviśitvā maranti. te tatra kākaśakuntehi khajjanti.[9] Nyagrodho mṛgarājā taṃ bhrātaraṃ Viśākhaṃ āha: Viśākha evaṃ[10] Kāśirājaṃ vijñapema:[11] na tattakā tvaṃ mṛgāṃ svayaṃ upajīvasi yattakā āhatakā gahanehi pradeśehi[12] praviśitvā maranti kākaśakuntehi khādyanti. vayaṃ rājño[13] ekaṃ mṛgaṃ daivasikaṃ dāsyāmaḥ yo tava svayaṃ mahānasaṃ praviśiṣyati. imaṃ ca mṛgayūthaṃ na evaṃ anayavyasanam āpadyiṣyanti. tasya bhrātā Viśākho āha: evaṃ bhavatu vijñāpema. so dāni rājā mṛgavyāṃ[14] nirdhāvito. tehi yūthapatīhi mṛgarājehi so rājā dṛṣṭo dūrata evāgacchanto[15] sarvabalavāhano[16] asidhanuśaktitomaradharehi saṃparivṛto. te dāni taṃ rājānaṃ dṛṣṭvā yena rājā tena abhimukhapratyudgatā[17] abhītā anuttrastā ātmānaṃ parityajitvā. te dāni kāśirājā mṛgarājānau dṛṣṭvā[18] dūrata eva abhimukhā āgacchantā tena svakasya balāgrasya āṇatti dinnā: na kenacid ete mṛgāgacchanto[19] viheṭhayitavyā ko jānāti, kim atra antaraṃ[20] yathaite balāgra[21] dṛṣṭvā na palāyanti, mama abhimukhā āgacchanti. balāgreṇa teṣāṃ mṛgāṇām antaro dinno vāmadakṣiṇabhūto sa[22] balāgro. te mṛgā yena rājā tenopasaṃkramitvā rājño jānuhi praṇipatitāḥ. rājā teṣāṃ mṛgarājānāṃ pṛcchati: kā vo vijñaptiḥ vijñāpetha[23] yaṃ vo kāryaṃ. te dāni mānuṣāye vācāye taṃ rājānaṃ vijñapenti[24] mahārāja vijñapemi.[25] vayaṃ tava iha rājye atra vanakhaṇḍe jātā saṃvṛddhā

1. §21.22; reference is to Ṛṣipatana (D.; Mv i.359.17 ṛṣayo 'tra patitā Ṛṣipatanaṃ). **2.** mss., for (em.) °rati; cf. §38.21. **3.** Pali Nigrodha-miga, Sākha-miga. **4.** mss., for (em.) °samantaṃ. **5.** so Senart, em.; mss. mṛgā (or, v.l., mṛgāni?) ni(d)dhyanti; §§2.39, 8.98; but mṛgā (§8.92) nihanti would be equally possible. **6.** §§2.64; 8.90. **7.** D.; §22.39. **8.** D. 1 hāra. **9.** D.; §2.14. **10.** v.l. for etaṃ. **11.** D. **12.** §§7.30–31; note locs. above in same phrase. **13.** mss. rājñā. **14.** mss. (cf. notes 35, 47), for (em.) °vyaṃ; D. **15.** mss. °ntaṃ, or evam āgacchanto; Senart em. eva āgacchanto. **16.** mss., for (em.) sa-bala°. **17.** mss., for (em.) °mukhā pra°. **18.** mss., for (em.) tena (instead of te, acc. pl., §21.30) . . . Kāśirājñā . . . dṛṣṭā; §7.13. **19.** mss. (= ed. em. mṛgā āg°.) **20.** D. **21.** mss. (belongs with §8.22), for (em.) °graṃ. **22.** v.l. for (em.) so (v.l. sā, intending so?). **23.** v.l. vijña°. **24.** mss. for (em.) vijñā°. **25.** mss. (v.l. °pami), for (em.) vijnāpāma; one of the two may be conceived as speaking for both.

anye pi bahūni mṛgaśatāni. vayan teṣāṃ mṛgāṇāṃ dve bhrātarau yūthapatinau iha mahārājasya vijite prativasāmaḥ. yathaiva mahārājasya nagarā paṭṭanā ca grāmā ca janapadā ca janena śobhanti gobalivardehi ca anyehi pi prāṇasahasrehi dvipadacatuṣpadehi evam etāni vanakhaṇḍāni āśramāṇi[26] ca nadīyo ca prasravaṇīyo ca etehi mṛgapakṣibhi[27] śobhanti. evaṃ mahārājasya[28] etasya adhisthānasya[28] alaṃkāro. sarve ete mahārāja dvipadacatuṣpadā yattakā mahārājasya vijita[29] vasanti grāmagato[30] vāraṇyagato[31] vā parvate[32] vā mahārājasya śaraṇaṃ gatāḥ sarve te mahārāja cintanīyā paripālanīyā ca. mahārājā ca teṣāṃ prabhavati[33] anyo rājā na. yaṃ velaṃ[34] mahārājā mṛgavyāṃ[35] niṣkāsati, tataḥ bahūni mṛgaśatāni anayavyasanam[36] āpadyanti. te[37] na tattakā mahārājasya upajīvyā bhavanti, yattakā śarehi āhatakā atra vanagahaneṣu[38] nadīgahaneṣu[39] śarahāreṣu ca kāśahāreṣu ca praviśiya maranti kākaśakuntehi[40] khādyante mahārājā ca adharmeṇa lipyati. yadi mahārājasya prasādo bhaveya vayaṃ dve yūthapatino mahārājasya daivasikaṃ ekamṛgaṃ visarjayiṣyāmaḥ yo tava mahānasaṃ svayaṃ praviśiṣyati. ekāto yūthāto ekaṃ divasaṃ[41] dvitīyāto yūthāto dvitīyaṃ divasaṃ ekaṃ mṛgaṃ visarjayiṣyāmaḥ mahārājasya ca mṛgamānsena abhibhakṣaṇaṃ[42] bhaviṣyati ime ca mṛgā evaṃ anayavyasanaṃ nopapadyiṣyanti. tena dāni rājñā teṣāṃ mṛgayūthapatināṃ[43] ājñapti[44] dinnā yathā yuṣmākam abhiprāyo tathā bhavatu gacchatha abhītā anuttrastā vasatha mama ca ekaṃ mṛgaṃ divase-divase visarjetha. rājā teṣāṃ vijñaptiṃ dattvā amātyānām āha na kenacit mṛgā viheṭhayitavyā. evam ājñāṃ dattvā nagaraṃ praviṣṭo. tehi yūthapatīhi te mṛgā sarve samānītā āśvāsitā ca: mā bhāyatha[45] evam asmābhiḥ rājā[46] vijñāpito yathā rājā na bhūyo mṛgavyāṃ[47] nirdhāviṣyati; na kvacit mṛgāṃ viheṭhayiṣyanti[48] rājño ca divase-divase eko mṛgo visarjetavyaḥ ekaṃ divasaṃ ekato yūthāto aparaṃ divasaṃ aparāto yūthāto. tehi mṛgehi sarvāṃ ca tāṃ mṛgāṃ ubhayehi yūthehi[49] gaṇetvā yūthāto-yūthāto osaraṃ[50] kṛtaṃ. ekāto yūthāto ekaṃ divasaṃ mṛgo gacchati rājño mahānasaṃ, aparāto yūthāto aparaṃ divasaṃ gacchati.

kadācit Viśākhasya yūthāto osarasmiṃ gurviṇīye mṛgīye vāro rājño mahānasaṃ gamanāya. sā dāni mṛgī āṇapakena[51] mṛgeṇa vucyati: tava adya osaro gaccha rājño mahānase[52] ti. sā āha: ahaṃ gurviṇī dve ime potako[53] kukṣismiṃ

26. mss. °vāṇi, cf. §2.30; but I have not noted the change in this word. **27.** v.l., for °pakṣehi; 'parties of deer' seems implausible, and mṛga-pakṣin is a Skt. cpd. **28.** mss., for (em.) mahārāja, and adhiṣṭhāna°; D. adhisthāna; I am now less sure that this should be emended; paristhita is a spelling for °ṣṭhita, D.; such forms could perhaps be genuine, as analogies to the simplex. **29.** mss. (§8.11), for (em.) °te. **30.** mss. (§8.83; or generic sg., 'one that is in a village'), for (em.) °tā. **31.** v.l., for (1 ms.) °tā. **32.** mss., for (em.) parvatagatā. **33.** mss. prabhā°; ? cf. bhāvati (m.c.; D.). **34.** D. velā. **35.** mss.; as n. 14. **36.** mss. anayato vya° ('disaster after misfortune'?); but this locution, instead of the cpd. as above and below, is not noted in BHS or Pali. **37.** mss.; Senart om. **38.** mss. °grahaṇesu; cf. D. grahaṇa; but here the meaning of gahana seems necessary, tho above (before n. 8) one ms. has grahaṇeṣu. **39.** so, with preceding ca (kept by Senart), the only ms. (the other om.), for (em.) naḍa-gah°. **40.** mss. °te. **41.** acc., §7.18. **42.** D. **43.** mss. (§10.203), for (em.) °patīnāṃ. **44.** mss. ('instructions'? or 'assurance', cf. BR s.v. jñā with ā, caus., 2 ?), for (em.) vijñapti. **45.** §28.23. **46.** mss. rājñā. **47.** mss.; as notes 14, 35. **48.** mss. (subject, the people, as commanded by the king), for (em.) °yati. **49.** loc., as n. 12. **50.** (avasaraḥ, 'turn'.) **51.** D. (mss. here āṇayakeṇaṃ, āṇattakena). **52.** mss. (v.l. °me), for (em.) °saṃ. **53.** mss. (cf. §§4.14; 8.74, 83), for (em.) me potakā.

anyaṃ tāva āṇapehi[54] yaṃ velaṃ prasūtā bhaviṣyāmi tataḥ gamiṣyāmi; te dāni ekasyārthe trivargaṃ cariṣyāmaḥ; yuṣmākaṃ evaṃ ciratarakena[55] vāro bhaviṣyati imehi duvehi potakehi jātehi. tena āṇapakena[56] mṛgena etaṃ kāryaṃ yūthapatisya ārocitaṃ. yūthapati āha: anyaṃ mṛgaṃ āṇapehi[57] yo etasya[58] mṛgīye antareṇa[59] eṣā mṛgāṃ[60] mṛgīprasūtā[61] samānāṃ[62] paścād gamiṣyati. tena āṇapakena[63] mṛgena tāṃ mṛgīm atikramitvā yo tasya[58] mṛgīye antareṇa so āṇatto gaccha rājño mahānasan ti. so pi āha: na mama adya osaro amukāye mṛgīye adya osaro evaṃ tāvad antaraṃ jīviṣyaṃ.[64] evaṃ aparāpare pi[65] vucyanti na ca anosarā gacchanti. sarve jalpanti: amukāye mṛgīye osaro sā gacchatū[65a] ti. sā mṛgī vucyati: bhadre na kocid[66] icchati[66] anosareṇa gantuṃ. tava osaro tvaṃ evaṃ[66a] gacchāhi rājño mahānasaṃ. sā dāni mṛgī yāṃ velāṃ na mucyati sā teṣāṃ potakānāṃ premnena mamā[67] saṃnipātena[68] ete pi ghāṭayiṣyantīti[69] taṃ dvitīyaṃ mṛgayūthaṃ gatā gacchiya tasya yūthapatisya praṇipatitā. sānaṃ[70] yūthapati[71] pṛcchati: kiṃ etaṃ bhadre kim āṇapesi[72] kiṃ kāryaṃ. sā āha: adya tato yūthāto mama vāro rājño mahānasaṃ gamanāye mama ca duve potakā kukṣismiṃ tato me so Viśākho yūthapati vijñapto mama adya osaro ime ca duve potakā kukṣismiṃ anyāṃ preṣehi yaṃ velaṃ prasūtā bhaviṣyaṃ tato gamiṣyāmi. tena ca yūthapatinā ye anye āṇapiyanti te pi na icchanti gantuṃ nāsmākam osaro amukāye mṛgīye osaro sā gacchatū ti. sā ahaṃ tehi na mucyāmi[73] osarāto vucyāmi gacchāhi tava osaro ti tad icchāmi mṛgarājena ato anyaṃ mṛgaṃ visarjamānaṃ yaṃ velaṃ ahaṃ prasūtā bhaviṣyāmi tato gamiṣyāmi. so mṛgarājā mṛgīm āha: tāva mā bhāyāhi anyaṃ visarjayiṣyaṃ. tena mṛgarājena āṇapako mṛgo āṇatto ito yūthāto yasya mṛgasya osaro taṃ āṇapehi etāye mṛgīye mayā abhayaṃ dinnaṃ. tena āṇapakena yasya mṛgasya osaro taṃ āṇapyati: gaccha rājño mahānasaṃ. so pi āha: na asmākaṃ yūthasya adya vāro Viśākhasya yūthasya adya vāro. so āṇapako mṛgo āha:[74] Viśākhasya yūthāto adya vāro yasya[58] mṛgīye vāro sā gurviṇī duve potakā kukṣismiṃ tehi na mucyati tava osaro tvaṃ gacchāhīti. tāye ca mṛgīye tato amucyantiye iha yūtham āgatvā Nyagrodho yūthapati vijñapto. Nyagrodhena yūthapatinā tasya[58] mṛgīye abhayaṃ dinnaṃ yūthapatinā[75] āṇattaṃ: yasya ito yūthāto osaro taṃ visarjehi iti. tava ito yūthāto osaro tvaṃ gacchāhi. so āha: dvitīyasya adya osarāto[76] nāhaṃ anosare gaccheyaṃ. evaṃ yo-yo āṇapyati so-so pi na icchati anosare gantuṃ. tena āṇapakena mṛgeṇa Nyagrodhasya mṛgapatisya ārocitaṃ: na koci icchati anosareṇa gantuṃ jalpanti, nāsmākam adya osaro dvitīyasya

54. D.; mss. āṇayehi; Senart em. āṇāpehi; similarly below. **55.** D. **56.** mss. ānakena, āṇekena; n. 51. **57.** so, or °yehi, mss. **58.** mss. (§9.76), for (em.) °syā. **59.** D. **60.** acc. pl.; so (or mṛgā) mss.; Senart om. **61.** acc. pl. (§8.92). **62.** mss. (D.), for (em.) °nā; 'she shall go after the (two) deer when they are brought forth by the doe'; or (less likely) mṛgī separate word, with eṣā. **63.** cf. notes 51, 56; mss. always intend this; Senart always āṇā°. **64.** §§31.30 ff. **65.** mss. aparā aparehi, to be kept? 'others were spoken to by others', i.e. one spoke to another, and so on (?). **65a.** §4.18. **66.** mss. kācid, and gacchati (to be kept? 'no one goes to go'?); em. Senart. **66a.** so mss., for eva (em. Senart; perhaps rightly?). **67.** mss., for (em.) mama; §20.27. **68.** mss. °vātena, perh. to be kept; §2.30. **69.** mss. (§2.41), for (em.) ghāta°. **70.** mss. (§21.45), for (em.) so nāṃ. **71.** ed. with v.l. °tiḥ. **72.** mss. āpesi; ed. em. āṇāp°. **73.** mss. mucyasi; em. Senart. **74.** mss. insert adya; del. Senart. **75.** mss. °pati; em. Senart. **76.** so, or °rato, mss. ('because of the turn today of the other [herd]'), for (em.) osaro taṃ.

mṛgapatisya[77] adya osaro. mṛgarājā āha: millehi maye[77a] imasyā mṛgīye abhayaṃ dinnaṃ. na śakyā ma eṣāṃ[78] bhūyo tatra mahānasaṃ visarjayituṃ; ahaṃ svayaṃ gamiṣyāmi.

so mṛgarājā tato vanaṣaṇḍāto pantham otaritvā Vārāṇasīṃ gacchati. yo-yo puruṣo taṃ mṛgarājaṃ paśyati gacchantaṃ so-so etam anugacchati. mṛgo darśanīyo rūpeṇa citropacitro raktehi khurehi añjanehi[79] akṣīhi prabhāsvarehi darśanīyehi. mahatā janakāyena[80] agrato kṛto gacchati yāvad abhyantaraṃ nagaraṃ praviṣṭo nāgarehi dṛṣṭo abhijñāto so mṛgarājā mahato janakāyasya te taṃ paśyitvā mṛgarājam utkaṇṭhitā tan tattakaṃ mṛgayūthaṃ sarvaṃ kṣapita[81] ayaṃ gato[82] gacchāma rājānaṃ vijñapemaḥ[83] yathaiṣo mṛgarājā mucyeyā na hanyeyā alaṃkāro imasya adhiṣṭhānasya cakṣuramaṇīyo jāto nirdhāvanto udyāne ca taḍāge ca, te taṃ mṛgaṃ paśyitvā cakṣuḥprītim anubhavanti. tenaiva sā mahattarakā[84] mahatā janakāyena sārdhaṃ mṛgarājasya anupṛṣṭhato rājakulaṃ praviṣṭā.[85] mṛgarājā ca mahānasaṃ praviṣṭo imehi ca naigamehi rājā arthakaraṇasmiṃ upaviṣṭo vijñapto: mahārāja tattakaṃ mṛgayūthaṃ sarvaṃ kṣīṇaṃ. aheṭhakā śuṣkārdrāṇi tṛṇāni bhakṣayanti na kasyaci aparādhyanti te ca sarve kṣapitā. ayaṃ so yūthapati svayam āgato. dullabho[86] mahārāja edṛśo mṛgarājā prāsādiko darśanīyo janasya cakṣuramaṇīyo. nagarāto janā nirdhāvanti udyānaṃ vā taḍāgaṃ vā ārāmaṃ vā puṣkariṇīṃ vā ca te p[...] taṃ mṛgarājaṃ paśyitvā prītā bhavanti alaṃkārabhūte[86a] nagaropavanasya yadi mahārājasya prasādo bhaveyā eṣo mṛgarājā jīvanto mucyeyā. rājñā amātyā āṇattā: gacchatha taṃ mṛgarājaṃ mahānasāto ānetha. so tehi amātyehi gatvā mahānasāto ānīto rājño sakāśaṃ. rājā taṃ mṛgarājaṃ pṛcchati: kiṃ tvaṃ svayam āgato nāsti bhūyo kocit mṛgo yaṃ tuvaṃ svayam āgato ti. so pi rājā[87] āha: na hi mahārāja mṛgo[88] nāsti apare mṛgāḥ. kiṃ tu adya dvitīyasya mṛgayūthasya osaro. tatra yasya[58] mṛgīyo[89] vāro āpadyati sā gurviṇī duve potakā kukṣismiṃ sā mṛgī vucyati gaccha mahānasaṃ tava adya vāro. dvitīyamṛgayūthe Viśākho yūthapati asti.[90] mama adya osaro rājño mahānasa[91] gantuṃ kin tu ahaṃ gurviṇī duve me[92] potakā kukṣismiṃ icchāmi anyaṃ visarjayituṃ yaṃ velaṃ ahaṃ prasūtā bhaviṣyaṃ tato gamiṣyāmi. tato yo anyo mṛgo āṇapyati so na icchati gantuṃ jalpati etasya[93] mṛgīye osaro eṣā gacchatū ti tehi mṛgehi na mucyati. tava adya osaro tvaṃ gacchāhi sā tehi amucyantī mama mūla[94] āgatā ahaṃ tāye vijñapto mama adya tato yūthāto osaro ime[95] duve potakā kukṣis[...]

77. so, or yūthapatisya, mss., for (em.) mṛgayūthasya (the king is mentioned as representing his herd). **77a.** §20.18. **78.** ma eṣāṃ, 1 ms., v.l. saiṣāṃ for (em.) saiṣā; §21.9, and D. śakyā. **79.** D. **80.** mss. °kāye. **81.** mss., for (em.) °taṃ **82.** perh. read āgato (em.) with Senart, who also inserts yūthapatiḥ svayam before thi[s] word. **83.** mss. (or °ma), for (em.) vijñā°. **84.** mss. (D.), for (em.) sa-ma°kena. **85** mss. °ṣṭhā, or °ṣṭhāḥ, for (em.) °ṣṭaṃ. **86.** v.l. for durl° (D.; §2.16). **86a.** so, or °tena, mss (loc. or instr. with prītā), for (em.) °taṃ. **87.** mss., for (em.) so mṛgarājā. **88.** Senart om[its] mṛgo of mss.; 'it is not true that there is no deer; there are other deer' (understand santi or asti, which may have been lost by haplography, after nāsti). **89.** mss. (§10.116), fo[r] (em.) °ye. **90.** Senart inserts: sā taṃ gatvā āha; some such clause may indeed have bee[n] lost, but it seems that we can only follow the mss.; it is, after all, clear who speaks th[e] following, and to whom. **91.** mss., for (em.) °saṃ; §8.11 or §§8.31 ff. **92.** prob. means im ($4.14); cf. notes 53, 95. **93.** ed. with v.l. °syā; cf. note 58. **94.** mss., for (em.) mūle. **95** mss., for (em.) me.

miṃ na ca tehi mucyāmi tad icchāmi mṛgarājena ito yūthāto āṇattaṃ anyaṃ[96] so[97] rājño mahānasaṃ gaccheyā. yena antareṇa ahaṃ prasūtā bh viṣyan ti[98] tato gamiṣyaṃ. tasya[58] maye mṛgīye abhayaṃ dinnaṃ mayāpi yo mṛgo āṇapyati so na icchati, na asmākaṃ osaro dvitīyasya yūthasya osaro evaṃ yo-yo āṇapyati so-so na icchati anosaresmiṃ[99] ihāgantuṃ. so haṃ jānāmi mayā etasyā mṛgīye abhayaṃ dinnaṃ gacchāmi svayan ti so ahaṃ svayam āgato. so rājā tasya mṛgasya śrutvā vismito sarvo ca janakāyo aho yāvad dhārmiko mṛgarājā. tasya Kāśirājño bhavati: nāyaṃ tiriccho yaḥ[100] eṣo mṛgo parasya kāraṇena ātmānaṃ parityajati dharmaṃ jānāti vayaṃ[101] tiricchā ye vayaṃ dharmaṃ na jānāma ye imeṣāṃ evarūpāṇāṃ satvaratnānām aheṭhakānāṃ heṭhām utpadyema. so taṃ mṛgarājam āha: prīto smi tava sakāśāto sakṛpo ca mahātmā ca tvayi[102] mṛgabhūtena te tasyā ātmabhṛtyāye mṛgīye abhayaṃ dinnaṃ. ahaṃ pi tava āgamya[103] tvadvacanāt sarvamṛgānāṃ ca abhayaṃ demi. adyāgreṇa ye ca tatra uddeśe teṣāṃ sarveṣāṃ mṛgāṇāṃ abhayaṃ dadāmi gacchāhi vasatha abhītā anuttrastā. rājñā nagare ghaṇṭāghoṣaṇā kārāpitā: na kenacit mama vijite mṛgā viheṭhayitavyā. tasya rājño taṃ[104] mṛgānām abhayaṃ[105] dānapradānāt.

yāva[106] deveṣu śabdam abhyudgataṃ. Śakreṇa devānām indreṇa rājño jijñāsanārthaṃ anekāni mṛgaśatāni mṛgasahasrāṇi nirmitāni. sarvā[106a] Kāśijanapado mṛgehi ākīrṇo nāsti so kṣetro yaṃ[107] na mṛgāḥ. jānapadehi rājā vijñapto. tena dāni Nyagrodhena mṛgarājñā sā mṛgī vucyati: bhadre gaccha Viśākhasya yūthaṃ. sā āha: mṛgarāja na gamiṣyāmi varaṃ tava mūle[108] mṛtaṃ na Viśākhamūle jīvitaṃ. sā dāni mṛgī gāthāṃ bhāṣati:

1. Nyagrodham eva seveyā na Viśākhaṃ pi[109] prārthaye[110]
   Nyagrodhasmiṃ mṛtaṃ śreyo na Viśākhasmi[111] jīvitaṃ.

jānapadā rājaṃ vijñapenti:[112]

2. udajyate janapado rāṣṭraṃ sphītaṃ vinaśyati
   mṛgā dhānyāni khādanti taṃ niṣedha janādhipa
3. udajyatu janapado sphītaṃ rāṣṭraṃ vinaśyatu
   na tv evaṃ mṛgarājasya varaṃ dattvā mṛṣaṃ bhaṇe.

mṛgāṇāṃ dayo dinno mṛgadāve Ṛṣipaṭṭane.[113]

96. ? my conjecture; mss. āṇattevaṃ, yantu, or (v.l.) āṇayaṃ, yatuṃ; Senart em. anyam āṇāpayituṃ. **97.** mss., for (em.) yo. **98.** (iti;) mss., for (em.) bhaviṣyaṃ. **99.** mss. (§§8.70–72), for (em.) °rasmiṃ. **100.** Senart's em., for mss. tiricchāmaḥ; cf. Mv ii.236.11–12. **101.** mss. vinayan. **102.** so, or tvayā, mss. (both may be n. sg., §§20.8, 9), for (em.) tvaṃ yaṃ. **103.** D. **104.** mss. (= tat), for (em.) teṣāṃ. **105.** mss., for (em.) °ya-. **106.** v.l., for yāvad. **106a.** mss. (§8.24), for (em.) °vo. **107.** one ms. (v.l. ya), for (em.) yatra; (= yat, 'so that . . . '). **108.** D. **109.** m.c., for mss. °khaṃ api, Senart em. abhi- **110.** v.l. for °yet. **111.** m.c., for mss. Viśākha, Senart em. °khasmiṃ; both unmetr. **112.** one ms. (v.l. vijñe°), for (em.) vijñā°. **113.** mss., for (em.) mṛgadāyo ti Ṛṣipattano; D. mṛgadāva, where LV 19.4 is quoted; LV assumes this story as known and in the preceding tells briefly the story of the ṛṣis' 'fall', ending in 19.3 tasmāt prabhṛti Ṛṣipatanasaṃjñodapādi (cf. above, note 1).

2

The Wolf and the Sheep

Mūlasarvāstivāda Vinaya iv.227.17–228.19. This is presented as an interesting variant on the well-known European fable of the Wolf and the Lamb. So far as I have been able to discover, neither this nor any other form of that fable has previously been recorded in India, with the single exception of a Gondi story (Tiger and Goat) recorded in the Linguistic Survey of India iv.526. I owe this reference to the kindness of Murray B. Emeneau, who observes, rightly as I think, that it is so extremely close to the European fable as to be suspicious; it may well have been a very recent 'plant', or introduction from a European source.

bhūtapūrvaṃ bhikṣavo 'nyatamasmin karvaṭake gṛhapatiḥ prativasati. tasya eḍakānāṃ vargaḥ. taccāraṇāya eḍakapālo grāmād bahir nirgataḥ. tataś cārayitvā sūryasyāstaṃgamanakālasamaye karvaṭakaṃ praveśayitum ārabdhaḥ. tatrānyatarā[1] jīrṇeḍikāṃ[2] pṛṣṭhato 'valambamāno vṛko gacchati. tāvad vṛkeṇa gṛhītā. kathayati:

1. kaccit te mātula kṣemaṃ sukhaṃ kaccit tu mātula
   ekaḥ kaccid[3] araṇye 'smin sukhaṃ vindasi mātula, iti.

so 'pi kathayati:

2. marditvā mama lāṅgūlaṃ khosayitvā ca vāladhim
   atha mātulavādena kutra mokṣyasi eḍaka[4], iti.

eḍikā punar āha:

3. pṛṣṭhatas tava lāṅgūlaṃ purato hy āgatā aham
   atha kenābhyupāyena[5] lāṅgūlaṃ marditaṃ mayā, iti.

vṛko bhūyaḥ kathayati:

4. catvāras tu ime dvīpāḥ sasamudrāḥ saparvatāḥ
   sarveṣu mama lāṅgūlam atha kena tvam āgatā, iti.

eḍikā prāha:

5. pūrvam eva mayā bhadra jñātīnām antikāc chrutam
   sarvatra tava lāṅgūlam ākāśenāham āgatā, iti.

vṛkaḥ prāha:

6. ākāśena patantyā vai tvayā me ajareḍake
   trāsito mṛgasaṃgho 'sau yo me bhakṣya upāgataḥ, iti.
7. evaṃ tasyāḥ pralapantyā utpatya pāpakarmaṇā
   eḍikāyāḥ śiraś chinnaṃ[6] hatvā māṃsaṃ ca bhakṣitam.

1. ṃ omitted, perhaps by misprint or other error; but cf. §§9.20–22. **2.** e for Skt. ai, §3.67; may also be regarded as loss of final a in saṃdhi, §§4.20 ff. **3.** for kaścid. **4.** probably not voc. fem. in -a (§9.15), but either the masc. form (applicable to the whole species), or (originally with no punctuation) in saṃdhi for eḍake-iti. **5.** for °uyāyena. **6.** for śiracchinnaṃ; prob. error (cf. §16.31).

3

The Four Sights (Mahāvastu)

Mv ii.150.1–157.18. In Pali the canonical version is found in DN ii.21.13 ff.; the post canonical, closer to the BHS forms, in Jāt. i.58.31 ff.

bodhisattvo pitaram abhimantrayati udyānabhūmiṃ niryāsyāmīti. rājñā Śuddhodanena amātyā āṇattā yāvad[1] rājakulaṃ yāvac ca udyānabhūmiṃ atrāntare pratijāgratha siktasaṃsṛṣṭaṃ[1a] vitatavitānaṃ citraduṣyaparikṣiptaṃ osaktapaṭṭadāmakalāpaṃ dhūpitadhūpanaṃ muktapuṣpāvakīrṇaṃ deśe-deśeṣu[2] dhūpayantrāṇi mālyayantrāṇi naṭanartakaṛllamallapāṇisvaryā kumbhatūṇī mānāpikāni rūpaśabdagandhāni upasthāpetha amanāpikāni[3] udvartāpetha, yathā kumāro udyānabhūmīm abhiniṣkrānto na kiñcid amanāpaṃ pasyeyā.[4] evaṃ rājño vacanamātreṇa amātyehi yāvac ca rājakulaṃ yāvac ca tāṃ kumārasya udyānabhūmiṃ yathāṇattaṃ mārgaṃ pratijāgritaṃ deśe-deśeṣu[2] ca puruṣā sthāpitā yathā kumārasya purato na kiṃcij jīrṇo vṛddho vyādhito vā kāṇo vā khoḍo[5] vā darduro vā kaṇḍūlo vā kacchulo vā vicarciko vā anyo vā kiṃcid amanāpaṃ kumārasya udyānam abhiniṣkramantasya purato tiṣṭheyā. evaṃ kumāro[6] mahārhaṃ ca[7] saptaratnacitreṇa yānena mahatā rājānubhāvena mahatā[8] rājaṛddhīye mahatīye vibhūṣāye udyānabhūmiṃ niryāntasya[6] rājapuruṣā vāmadakṣiṇena utsāraṇāṃ karontā gacchanti, yathā kumāro na kiṃcid amanāpaṃ paśyeyā. evaṃ kumāro mānāpikāni rūpāṇi paśyanto mānāpikāni śabdāni śṛṇvanto mānāpikāni gandhāni ghrāyanto ubhayato vāmadakṣiṇena añjalīśatasahasrāṇi praticchanto[9] vividhāni ca cūrṇavarṣāṇi saṃpraticchanto[10] Kapilavastuto udyānabhūmiṃ nirdhāvantasya Ghaṭikāreṇa kumbhakāreṇa śuddhāvāsadevaputrabhūtena tathānyehi ca śuddhāvāsakāyikehi devaputrehi jīrṇo puruṣo purato abhinirmito[11] jīrṇo[12] vṛddho[12] mahallako[12] adhvagatavayam[13] anuprāpto[12] śvetaśiro tilakāhatagātro bhagno gopānasīvakro purataprāgbhāro[14] daṇ-

1. D. yāvat (3). **1a.** repeated twice below; interpretable, no doubt; LV parallel (187.14) siktaḥ saṃmṛṣṭo (all mss.; Calc. saṃspṛṣṭo); one of the two is surely a graphic corruption (s:m) for the other; LV makes much easier sense, but might be a lect. fac., and if Calc. rests on a real ms. reading, it partially supports Mv; Tib., however, phyags nas, 'having swept'. Pali versions lack the expression. **2.** here one ms. deśa-deśeṣu, but repeatedly below both mss. (and Senart always) deśe-deśeṣu, which I think must be kept; it may be regarded as a blend of Skt. deśa-de°, deśe-deśe, and deśeṣu-deśeṣu. **3.** mss. intend this, for (em.) amān°. **4.** mss. (with no daṇḍa) for (em.) °ya. **5.** Senart with mss. khāḍo; cf. n. 29; D. **6.** §7.13. **7.** mss. (°haṃ, adv.), for (em.) mahārheṇa; cf. n. 32. **8.** §6.18. **9.** one ms. (§3.32), for (ed. with v.l.) pratī°; cf. n. 10. **10.** so mss. clearly intend (cf. 152.10 saṃpratīcchanto, in repetition, n. 34); Senart em. pratīcchanto; cf. n. 9. **11.** v.l. °nirmiṇito, perhaps the true form, to be classed with §28.16, cf. §34.11. **12.** mss. -aṃ for -o, em. Senart; the corruption prob. resulted from attraction to the ending of -vayam, but to construe the first three words with -vayam seems hard, to construe anuprāpta thus is impossible. **13.** v.l., for ed. with 1 ms. °gataṃ vayam; see just below. **14.** mss., for (em.) purato-prā°; §4.32.

ḍam avaṣṭabhya prakhalamānair[15] gātrair gacchanto.[16] bodhisattvo taṃ dṛṣṭvā sārathiṃ kim imo puruṣo evaṃ pratikūlo pṛcchati,[17] jīrṇo vṛddho mahallako adhvagatavayam anuprāptaḥ śvetaśiro tilakāhatagātro bhagno gopānasīvakro puratoprāgbhāro[18] daṇḍam avaṣṭabhya[19] prakhalamānair gātraiḥ gacchati. sārathi āha: kumāra[20] kin[21] te etena pṛcchitena eṣa puruṣo jīrṇo nāma vayaparigataśarīro gacchāma udyānabhūmiṃ tahiṃ devakumāro[22] pañcahi kāmaguṇehi krīḍāhi ramāhi paricārehi. kumāro āha: bho bhaṇe[23] sārathi vayam api jarādharmā jarādharmatāyām anatītāḥ yatra nāma jātasya jarā prajñāyati atra paṇḍitasya kā rati. kumāro āha: sārathi nivartehi rathaṃ alaṃ udyānagamanāye. kumāro punar nivartitvā gṛhaṃ praviṣṭo. rājā Śuddhodano amātyāṃ pṛcchati: bho bhaṇe kiṃ kumāro punar nivṛtto udyānabhūmiṃ na nirgato. amātyā āhansuḥ: mahārāja kumāro jīrṇaṃ puruṣaṃ dṛṣṭvā nivṛtto[24] na bhūyo udyānabhūmiṃ nirgato. rājño bhavati mā haiva yathā Asitena ṛṣiṇā kumāro vyākṛto tathā bhaviṣyati rājñā kumārasya antaḥpure saṃdṛṣṭaṃ:[25] suṣṭhu kumāraṃ krīḍāpetha ramāpetha pravicārayetha[26] nāṭyehi gītehi vāditehi yathā kumāro gṛhe abhirameyā. evaṃ kumārasya[26a] yathā devaloke evaṃrūpā antaḥpure saṃgīti vartanti. na ca kumārasya saṃgītiṣu manaṃ gacchati; tam eva[27] jīrṇaṃ puruṣaṃ smarati.

aparakālena kumāro āha: udyānabhūmi[27a] nirdhāviṣyāmīti. rājā āha: mānāpikāni rūpaśabdāni upasthāpetha yathā kumāro udyānabhūmi[28] abhiniṣkramanto na kiṃcid amanāpaṃ paśyeya. evaṃ rājño vacanamātreṇa amātyehi yāva ca rājakulaṃ yāvac ca tāṃ kumārasya udyānabhūmiṃ yathāṇattaṃ mārgaṃ pratijāgritaṃ deśe-deśeṣu ca puruṣā sthā(pitā yathā udyā)nabhūmi[28] niryāntasya purato na kvacij jīrṇo vā vṛddho vā vyādhito vā kāṇo vā khoḍo[29] vā dradulo[30] vā kaṃḍulo[31] vā kacchulo vā vicarciko vā anyo vā kiṃcid amanāpaṃ kumārasya udyānabhūmim abhiniṣkramantasya purato na tiṣṭheyā. evaṃ kumāro mahāraheṇa[32] saptaratnacitreṇa (*etc., as above, to*) utsāraṇa[33] kārayantā gacchanti, yathā kumāro na kenacid amanāpaṃ paśyeyā. evaṃ (*etc., as above, to*) añjaliśatasahasrāṇi pratīcchanto vividhāni ca puṣpavarṣāṇi[34] saṃpratīcchanto Kapilavastuto udyānabhūmiṃ nirdhāvantasya Ghaṭikāreṇa ca kumbhakāreṇa śuddhāvāsadevaputrabhūtena tathā anyehi ca śuddhāvāsakāyikehi devaputrehi vyādhito puruṣo purato abhinirmito[35] śūnahastapādo śūnena mukhena

15. so I read, with mss. and ed. in next sentence; Senart avaṣṭabhya-mānair (mss. °ṣṭavya-mānair). 16. mss. °ntaṃ, em. Senart; by deleting the daṇḍa, we might keep the acc. (with following taṃ). 17. Senart transp. pṛcchati before kim. 18. v.l. purato° for ed. °taḥ°; both mss. °bhārā, em. Senart. 19. mss. °ṭavyaḥ, em. Senart. 20. mss., for (em.) °ro (why?). 21. v.l., for ed. with 1 ms. kiṃca. 22. mss., for (em.) °ra; '(as) a (very) god'. 23. D. 24. mss. niyanto or nī°; Senart em. niryāto; in parallel 153.6 (after n. 45), Senart nivṛtto, as mss. clearly intend. 25. so mss. (one dṛṣṭaṃ, om. saṃ); also in repetition, n. 47; impersonal, 'the king looked into (went to see) the prince's harem', lit. 'it was looked in . . .'; Senart em. °puraṃ saṃdiṣṭaṃ. 26. mss. (D.), for (em.) °cārāpetha. 26a. so repetition below (after n. 47); Senart reads evaṃ kumārasya after devaloke; mss. here seem to be reported as having it in both places. 27. mss. evaṃ; em. Senart. 27a. v.l., for °miṃ. 28. mss. (§10.50) twice for (em.) °miṃ; (pitā yathā udyā) lacuna in mss., em. Senart. 29. ms. (here lacuna in 1 ms.; cf. n. 5), for (em.) khāḍo. 30. ms., for (em.) °ro; D. 31. ms. (kaḍulo), for (em.) °ūlo; cf. n. 51. 32. mss. °raho, °rahona, em. Senart; cf. n. 7. 33. so here mss., for (Senart em., as above) °ṇāṃ. 34. one ms. adds cūrṇavarṣāṇi; on saṃ° cf. n. 10.

pītapāṇḍuvarṇo dakodariko nābhīyo[35] dakadhārāye pravahantīye makṣikāsahasrehi khādyamāno[36] adrākṣaṇīyo[37] saṃvegakārako. bodhisattvo taṃ dṛṣṭvā sārathiṃ pṛcchati bho bhaṇe sārathi kim imo puruṣo evaṃ pratikūlo pīto pāṇḍukavello[38] śūnahastapādo bhinnamukhavarṇo nābhīyo[39] dakadhārāye śravantīye makṣikāsahasrehi khādyati. sārathi āha: kumāra kin te etena pṛcchitena eṣo puruṣo vyādhinā parigataśarīro gacchāma udyānabhūmin tahiṃ krīḍāhi ramāhi pravicārehi. kumāro āha: bho bhaṇe sārathi vayam api vyādhidharmā vyādhidharmatāyām anatītā. yatra nāma jātasya jarā prajñāyati vyādhi ca prajñāyati atra paṇḍitasya kā ratiḥ.

1. rūpasyā[40] vyasanaṃ balasya mathanaṃ sarvendriyāṇāṃ[40a] vadhaḥ
śokānāṃ prabhavo rativyupaśamo[41] cittāśrayāṇāṃ[42] nidhi
dharmasyopaśamaḥ ⏑ — ⏑ ⏑ ⏑ — gātrāśritānāṃ[42] gṛhaṃ
yo lokaṃ pibate vapuś ca grasatī[43] vyādhisya[43a] ko nodvijet

kumāro āha: sārathi nivartehi rathaṃ alaṃ me udyānaṃ gamanāye.[44] kumāro punaḥ nivartitvā gṛhaṃ praviṣṭaḥ. rājā Śuddhodano amātyāṃ pṛcchati: bho bhaṇe kiṃ[45] kumāro nivṛtto udyānabhūmiṃ na[45] nirgato. amātyā āhansuḥ: mahārāja kumāro vyādhitaṃ puruṣaṃ dṛṣṭvā nivṛtto na bhūyo udyānabhūmiṃ nirgato. rājño bhavati: mā haiva[46] yathā Asitena ṛṣiṇā kumāro vyākṛto tathā bhaviṣyati. rājñā kumārasya antaḥpure saṃdṛṣṭaṃ:[47] suṣṭhu kumāraṃ krīḍāpetha ramāpetha nāṭyehi gītehi vāditehi yathā kumāro gṛhe abhirameyā. evaṃ kumārasya yathā devaloke evaṃrūpā antaḥpure saṃgīti vartanti. na ca kumārasya saṃgītiṣu manaṃ gacchati; tam eva jīrṇaṃ ca vyādhitaṃ ca puruṣaṃ samanusmarati.

aparakālena kumāro bhūyo pitaram āpṛcchati: tāta[47a] udyānabhūmiṃ niryāsyāmi darśanāye. rājñā amātyānām āṇatti dinnā: kumāro udyānabhūmiṃ niryāsyati udyānabhūmim alaṃkārāpetha mārgaṃ pratijāgaretha nagaraṃ ca alaṃkārāpetha yāvac ca rājakulaṃ yāvac ca rājakumārasya udyānabhūmiṃ siktasaṃsṛṣṭaṃ vitatavitānaṃ citraduṣyaparikṣiptaṃ osaktapaṭṭadāmakalāpaṃ dhūpitadhūpanaṃ muktapuṣpāvakīrṇaṃ deśe-deśeṣu ca puṣpayantrāṇi naṭanartakaṛllamallapāṇisvaryā kumbhatūṇikā mānāpikāni ca rūpāṇi[47b] śabdāni gandhāni upasthāpetha[48] yathā kumāro udyānabhūmiṃ niryānto na kaṃcid[49] amanāpaṃ paśyeyā jīrṇaṃ vyādhitaṃ vā kāṇaṃ vā khoḍaṃ vā dadrulaṃ[50] vā kaṇḍulaṃ[51] vā kacchulaṃ vā andhaṃ vā gilānaṃ vā; yathā kumāro na kiṃcid

35. mss. lā°; Senart em. nābhīye; §10.115. **36.** mss., for (em., or misprint?) °mānā. **37.** ? D. **38.** mss.; D.; Senart em. pītapāṇḍukavarṇo (cf. above, before n. 35); but the Deśī word vella is not likely to be a ms. corruption; perhaps rather the above originally read like this, with bhinnamukha- before -varṇo. **39.** cf. n. 35; mss. here nā°, and one ms. with Senart °īye. **40.** m.c. for °ya; here begins a śārdulavikrīḍita verse, printed by Senart as prose; the mss. present almost perfect meter, except for a lacuna of six syllables in the 3d pāda. **40a.** mss. °yaṃ, °yāṃ; em. Senart (confirmed by meter). **41.** mss. °śramo or °samo (which Senart reads, perhaps rightly, §2.63). **42.** D. āśraya (2, 3), āśrita; probably read °āśravāṇāṃ at least for °yāṇāṃ, and possibly for °śritānāṃ. **43.** m.c. for °ti. **43a.** mss. °ṣya; §10.78. **44.** mss., for °na-gama°; §36.16. **45.** mss. hi for kiṃ, and om. na. **46.** mss. haivaṃ, heva; Senart hevaṃ (!); cf. §42.4. **47.** mss.; n. 25. **47a.** mss. tato. **47b.** v.l., for ed. °ni. **48.** this word om. in mss.; cf. above. **49.** mss., for (em.) kiṃcid. **50.** so, or dradulaṃ, mss., for (em.) dadruraṃ. **51.** mss., for (em.) °ūlaṃ; cf. n. 31.

amanāpaṃ paśyeyā tathā karetha.[52] vacanamātreṇa ca rājño amātyehi yathāṇattaṃ pratijāgṛtaṃ[52a] vāmadakṣiṇato ca puruṣāḥ sthāpitā ye janasya utsāraṇaṃ karonti yathā kumāro udyānabhūmiṃ niryānto na kiṃcid amanapam paśyeyā. evaṃ kumāro saptaratnacitreṇa yānena vitatavitānena osaktapaṭṭa dāmakalāpena hemajālasaṃchannena savaijayantehi[53] sanandīghoṣeṇa ṣakhurapravālena ucchritadhvajapatākena sāmātyaparijano mahatā rājānubhāvena mahatā rājaṛddhīye mahatīye vibhūṣāye mahatā samudayena ubhayato vāmadakṣiṇena añjaliśatasahasrāṇi[54] saṃpratīcchanto Kapilavastuto udyānabhūmiṃ niryāti. Ghaṭikāreṇa ca kumbhakāreṇa śuddhāvāsadevaputrabhūtena anyehi ca śuddhāvāsakāyikehi devaputrehi mṛtako puruṣo kumārasya purato nirmito mañcake samāropito puruṣehi nīyanto[55] jñātīhi aśrukaṇṭhehi rudanmukhehi prakīrṇakeśehi[56] uraṃ pīḍantehi[57] karuṇaṃ pralapantehi. kumāro taṃ dṛṣṭvā sārathiṃ pṛcchati: bho bhaṇe sārathi kim idaṃ puruṣo mañcakam āropito vinīyate jñātīhi aśrukaṇṭhehi rudanmukhehi prakīrṇakeśehi uraṃ pīḍantehi.[57a] sārathi āha: kumāra[58] eṣo puruṣo mṛto jñātīhi mañcakam āropya aśrukaṇṭhehi rudanmukhehi prakīrṇakeśehi uraṃ pīḍantehi[59] śmaśānaṃ nīyati. kumāro āha: bho bhaṇe na[60] eṣa sārathi bhūyo puruṣo mātaraṃ vā pitaraṃ vā[61] bhrātaraṃ vā bhaginīṃ vā mitrajñātisālohitaṃ[61] vā citraṃ vā jambudvīpaṃ paśyati. sārathi āha: āma kumāra na[62] eṣa bhūyo puruṣo mātaraṃ vā drakṣyati pitaraṃ vā bhrātaraṃ vā bhaginīṃ vā mitrajñātisālohitaṃ vā citraṃ vā jambudvīpaṃ. kumāro āha: maraṇaṃ khalu

2. tava ca[63] mama ca tulyaṃ naiva śatruḥ na bandhuḥ[63a]
 ṛtu yatha parivartī[64] durjayaṃ durvinītaṃ
 na gaṇayati kulīnaṃ nīca nānāthavantaṃ[65]
 dinakara iva nirbhīr atra[66] mārgeṇa yāti

sarathi āha:

3. kāmāṃ saṃpattiṃ rājalakṣmīṃ ratiṃ śrīṃ[66a]
 etāṃ[66a] pṛcchāhī[67] sarvalokapradhānāṃ
 kiṃ tubhyaṃ raudraṃ[68] rogasaṃtāpamūlaṃ
 mṛtyuṃ taṃ[69] dṛṣṭvā yo vināśo narānām

52. mss., for (em.) karotha; opt. to karati, §28.13, rather than to Pkt. (kareti) karei, §§38.2, 18 ff.; I have failed to note any clear instances of that present in BHS. **52a.** one ms., v.l. °grataṃ, for (em.) °gritaṃ (as above); but cf. n. 89 and §34.14. **53.** so, or °tīhi, mss.; Senart em. °tena; tho the following words are Bhvr., this could be a Karmadh., 'with accompanying banners'; but perhaps read °tīkena, see n. 91. **54.** mss. añjaliṃ-śata°. **55.** mss. nīcanto, niyato; Senart em. nīyate; §37.15. **56.** mss. paripūrṇa-k°; Senart em. parikīrṇa-, but this does not fit in mg.; for my em. see just below. **57.** mss. piḍuṃtehi, pīḍyanto; Senart em. pīḍent°; §38.30, cf. notes 57a, 59. **57a.** mss. (v.l. piṇḍa°), for (em.) pīḍen°. **58.** mss. °ro, em. Senart, prob. rightly (but cf. §8.28). **59.** mss. pīḍyan°, piṇḍan°; Senart em. pīḍen°; cf. n. 57. **60.** my em.; not in mss. or Senart, but the reply seems to demand it. **61.** the order is that of one ms., and of both in the reply; Senart follows v.l. **62.** mss. kumāreṇa, em. Senart. **63.** both mss.; Senart om. ca, making maraṇaṃ khalu part of the verse (which is mālinī). **63a.** mss. bandhu. **64.** mss. pata or ṣata (em. Senart) parivartate (kept by S.). **65.** (na-anātha°;) mss. nīcaṃ nātha°; Senart em. na nīcaṃ na nātha° (unmetr.). **66.** mss. nirbhītaḥ (v.l. °tha) atra; Senart °to atra, unmetr.; °to 'tra puts caesura in wrong place. **66a.** mss. śrīḥ, etaṃ. **67.** m.c. for (mss. and Senart) °hi; meter, vaiśvadevī. **68.** mss. kiṃ te raudra; em. Senart (tuhyaṃ, but the commoner tubhyaṃ is equally possible). **69.** taṃ inserted by Senart m.c.

bodhisattvo āha:

4. jīrṇāturaṃ[70] mṛtaṃ dṛṣṭvā yo nodvijati saṃsare[71]
śocitavyaḥ[72] sa durmedhā andho naṣṭo yathādhvani[73]

kumāro āha: bho bhaṇe sārathi vayam api maraṇadharmā maraṇadharmatāyai[74] anatītā. yatra nāma jātasya vyādhi prajñāyati jarā prajñāyati maraṇaḥ prajñāyati atra paṇḍitasya kā ratiḥ nivartehi rathaṃ, alaṃ me udyānabhūmiṃ[75] gamanāye. kumāro tato evaṃ pratinivartitvā punaḥ gṛhaṃ gato. rājā Śuddhodano amātyānāṃ pṛcchati: kiṃ kumāro bhūyo pratinivartitaḥ na udyānabhūmiṃ nirgato. amātyā āhansuḥ: deva kumāreṇa mṛtako puruṣo mañcake samāropito jñātīhi aśrukaṇṭhehi rudanmukhehi prakīrṇakeśehi uraṃ pīḍantehi[76] ārtasvaraṃ ravantehi śmaśānaṃ nīyanto[77] dṛṣṭo tasya taṃ dṛṣṭvā saṃvego jātaṃ. tataḥ eva pratinivṛtto. rājño Śuddhodanasya etad abhūṣi: mā haiva[78] nimittakānāṃ brāhmaṇānāṃ satyavacanaṃ bhaviṣyati ye te evam āhansuḥ: pravrajiṣyati kumāro. rājñā dāni kumārasya antaḥpuraṃ dūto preṣito varṣavarā kañcukīyā ca: suṣṭhu kumāraṃ krīḍāpetha nṛtyagītavāditena yathā kumāro abhirameyā. te dāni antaḥpurikā kumāraṃ suṣṭhu abhiramenti[79] nṛtyehi gītehi vāditehi na ca kumārasya atra cittaṃ vā mano vā nānyatra[80] tāṃ eva jīrṇān āturān mṛtāṃ smarati.

kumāro bhūyaḥ aparakālena pitaram āpṛcchati: tāta udyānabhūmyāṃ niryāsyāmi darśanāye. rājā āha: yasya kumāra kālaṃ manyasi.[81] rājñā amātyānām āṇattaṃ: udyānasya[82] bhūmim alaṃkārāpetha nandanavanam[83] iva devarājasya nagaraṃ ca alaṃkārāpetha yāvac ca rājakulaṃ yāvac ca rājakumārasya udyānabhūmiṃ siktasansṛṣṭaṃ kārāpetha vitatavitānaṃ citraduṣyaparikṣiptaṃ osaktapaṭṭadāmakalāpaṃ dhūpitadhūpanaṃ muktapuṣpāvakīrṇaṃ deśe-deśeṣu ca puṣpayantrāṇi dhūpayantrāṇi naṭanartakaṛllamallapāṇisvaryā kumbhatūṇikā[84] pratijāgarāpetha mānāpikā pi ca rūpaśabdagandhāṃ yathā kumāro Kapilavastuto udyānabhūmi[85] niryānto na kiṃcid amanāpaṃ paśyeyā jīrṇaṃ vā vyādhitaṃ vā mṛtaṃ vā andhaṃ vā kāṇaṃ vā khoḍaṃ vā dadrulaṃ[86] vā kaṇḍulaṃ[87] kacchulaṃ vā vicarcikaṃ[88] vā tathā karotha. amātyehi āṇattamātrehi yathā rājño saṃdeśo tathā sarvaṃ pratijāgṛtaṃ[89] deśedeśeṣu ca puruṣā sthāpitāḥ, yathā kumāro Kapilavastuto udyānabhūmiṃ[90] niryānto na kiṃcid amanāpaṃ paśyeyā. kumāro pi dāni saptaratnacitreṇa yānena hemajālapraticchannena svalaṃkṛtena suvibhūṣitena savaijayantīkena[91] sanandighoṣeṇa sakhurapravāreṇa[92] ucchritadhvajapatākena sāmātyo saparijano mahatā rājānubhāvena mahatā rājaṛddhīye mahatā viyūhāye mahatā saṃvṛddhiye mahatā vibhūṣāye Kapilavastuto udyānabhūmiṃ niryāntasya[93] Ghaṭi-

70. mss. jīrṇo āt°; em. Senart. **71.** m.c. for saṃsāre (mss., Senart); cf. D. saṃsarin, and §3.31. **72.** mss., for (em.) śoce°. **73.** my em. (m.c.) for ed. with mss. andho dhvani yathā naṣṭaḥ. **74.** cf. §9.34; mss. °yaiḥ, °yair. **75.** mss., for (em.) °mi-; see n. 44. **76.** mss. piṇḍan°, pīḍyante; Senart em. pīḍen° (as above). **77.** mss. nirīyanto. **78.** Senart with v.l. °vaṃ; n. 46. **79.** used as caus. in Pali as well as (°mayati) Skt.; v.l. °ramāpenti. **80.** seems to belong to anyatra (1), D., but the repeated neg. is rather characteristic of anyatra (2); perhaps, after all, 'not except that he thought on . . .' (?) **81.** mss., for (em.) °se. **82.** v.l. °na-. **83.** misprinted °vanamam. **84.** one ms., for (Senart with v.l.) °kaṃ. **85.** mss., for (em.) °miṃ; n. 28. **86.** one ms., v.l. (da)rdulaṃ, for (em.) dadruraṃ. **87.** as n. 51. **88.** mss. corrupt; Senart em. as above. **89.** as n. 52a. **90.** v.l. °mi. **91.** v.l. °tikena; cf. n. 53. **92.** mss., for (em.) °vālena. **93.** mss.; Senart em. niryāto. niryāntasya; but cf. n. 6.

kāreṇa kumbhakāreṇa śuddhāvāsadevaputrabhūtena[94] anyehi ca śuddhāvāsakāyikehi devaputrehi kumārasya purato pravrajito nirmito kāṣāyāmbaradharo praśāntendriyo iriyāpathasaṃpanno yugamātraprekṣamāṇo janasahasre Kapilarājamārge.[95] so dāni pravrajito kumāreṇa dṛṣṭo dṛṣṭvā ca punar asya mana[96] prasīde: aho pravrajitasya prajñānaṃ. kumāro taṃ pravrajitaṃ dṛṣṭvā pṛcchati: ārya kimarthaṃ so pravrajitaḥ. pravrajito āha: kumāra ātmadamaśamathaparinirvāṇārthaṃ pravrajito. kumāro taṃ pravrajitasya vacanaṃ srutvā prīto saṃvṛtto. kumāro āha: pravrajito khalu nāma yaḥ[97]

5. kaṣayapaṭavalambitaprakarṣī[98]
ajinakhipena[99] vistīrṇa[100] aindramārge[101]
bhurikamalarajāvakīrṇagātro[102]
śaraṇavare[103] gata[104] eka cakravākaḥ

Mṛgī[105] Śākyakanyā Ānandasya mātā sā kumāraṃ tādṛśīye lakṣmīye tādṛśāye vibhūṣāye Kapilavastuto niryāntaṃ dṛṣṭvā gāthāhi kumāraṃ abhistavati:

6. nirvṛtā punas[106] te mātā pitā punas te[107] nirvṛto
nirvṛtā punaḥ sā nārī[108] yasya bhartā bhaviṣyasi

bodhisattvasya nirvāṇaśabdaṃ śrutvā nirvāṇasmiṃ eva manaṃ prasīde tiṣṭhe saṃpraskande:

7. nirvāṇaghoṣaṃ śrutvāna nirvāṇaṃ[109] śrotam[110] ādade
nirvāṇ'[111] anuttaraṃ dṛṣṭvā dhyāyate akutobhayaṃ

kumāreṇa taṃ nirvāṇaṃ dhyāyantena Mṛgī Śākyakanyā nāvalokitā nābhāṣṭā. tasyā dāni Mṛgīye[112] Śākyakanyāye daurmanasyaṃ saṃjātaṃ: ettakasya janakāyasya madhyato mayā kumāro abhistuto na cānena aham avalokitāpi.

94. Senart by em. inserts kāya after vāsa. **95.** Kapila = °la-vastu. **96.** mss. (§16.31), for (em.) mano. **97.** somewhat doubtfully, I conjecture that yaḥ, read by the mss. at the end of the next half stanza and properly deleted by Senart, originally belonged here. **98.** the verse seems surely to have been puṣpitāgrā; this first pāda is correct with shortening m.c. of two syllables, which Senart with mss. writes long (kaṣāyapaṭā°); to be sure, mss. also kā- for the first syllable (em. Senart). **99.** or (Sktized) °kṣipeṇa, but prob. the Pali form (D.); my em. for mss. janakapilena or janakaritena. **100.** pron. vitī° (cf. Pali vitthiṇṇa, also written vitti°); mss. vistīrṇo, before the preceding word; Senart vitīrṇo janavikīrṇe, for the two words. **101.** mss. add yaḥ (n. 97). **102.** bhuri, m.c.. for Senart's em. bhūri, mss. bhūrā- or bhūla-; mss. °kamalarājāva°, Senart em. **103.** ? my conjecture, m.c., for mss. śaravare, Senart em. śaravane (both submetr.). **104.** mss., for (em.) yatha. **105.** the following incident is not directly attached to the Four Sights elsewhere, to my knowledge, but corresponds (with important variations) to Pali Jāt. i.60.26 ff., which follows the Four Sights after an intervening page. The woman there is named Kisāgotamī. **106.** mss., for (em.) khalu. **107.** mss. om. punas te; em. Senart; te short, §3.64. **108.** mss. insert nirvṛtā. **109.** for mss. °ṇa (metr. inferior); Senart em. °ṇe. **110.** mss., for (em.) śrotram. **111.** m.c., for mss. °ṇam. **112.** v.l., for (ed. with 1 ms.) Mṛgī-.

4

The Four Sights (Lalitavistara)

LV 186.21–192.14.

atha bhikṣavo bodhisattvaḥ sārathiṃ prāha: śīghraṃ sārathe rathaṃ yojayodyānabhūmiṃ gamiṣyāmīti. tataḥ sārathiḥ[1] rājānaṃ Śuddhodanam upasaṃkramyaivam āha: deva kumāro[2] udyānabhūmim abhiniryāsyatīti. atha rājñaḥ Śuddhodanasyaitad abhavat: na kadācin mayā kumāra udyānabhūmim abhiniṣkramitaḥ subhūmidarśanāya. yan nv ahaṃ kumāram udyānabhūmim abhiniṣkrāmayeyaṃ.[2a] tataḥ kumāro[3] strīgaṇaparivṛto ratiṃ vetsyate nābhiniṣkramiṣyatīti. tato rājā Śuddhodanaḥ snehabahumānābhyāṃ bodhisattvasya nagare ghaṇṭāvaghoṣaṇāṃ kārayati sma: saptame divase kumāra udyānabhūmiṃ niṣkramiṣyatīti subhūmidarśanāya tatra bhavadbhiḥ sarvāmanāpāni cāpanayitavyāni; mā kumāraḥ pratikūlaṃ paśyet, sarvamanāpāni copasaṃhartavyāni viṣayābhiramyāṇi.[4]

tataḥ saptame divase sarvaṃ nagaram alaṃkṛtam abhūt, udyānabhūmim[5] upaśobhitaṃ nānāraṅgadūṣyavitānīkṛtaṃ chatradhvajapatākāsamalaṃkṛtaṃ. yena ca mārgeṇa bodhisattvo 'bhinirgacchati sma, sa mārgaḥ siktaḥ saṃmṛṣṭo gandhodakapariṣikto muktakusumāvakīrṇo nānāgandhaghaṭikānidhūpitaḥ pūrṇakumbhopaśobhitaḥ kadalīvṛkṣocchrito nānāvicitrapaṭavitānavitato ratnakiṅkiṇījālahārārdhahārābhipralambito[5a] 'bhūt. caturaṅgasainyavyūhitaḥ parivāraś codyukto 'bhūt kumārasyāntaḥpuraṃ pratimaṇḍayituṃ.[6] tatra bodhisattvasya pūrveṇa nagaradvāreṇodyānabhūmim abhiniṣkrāmato mahatā vyūhena, atha bodhisattvasyaivānubhāvena śuddhāvāsakāyikaiḥ[7] devaputrais tasmin mārge puruṣo jīrṇo vṛddho mahallako dhamanīsaṃtatagātraḥ khaṇḍadanto valīnicitakāyaḥ palitakeśaḥ kubjo gopānasīvaṅko[8] vibhagno daṇḍaparāyaṇa āturo gatayauvanaḥ khurukhurāvasaktakaṇṭhaḥ[8a] purataḥprāgbhāreṇa[9] kāyena daṇḍam avaṣṭabhya pravedhayamānaḥ[10] sarvāṅgapratyaṅgaiḥ purato mārgasyopadarśito 'bhūt. atha bodhisattvo jānann eva sārathim idam avocat:

1. kiṃ sārathe puruṣa durbalo[11] alpasthāmo
    ucchuṣkamāṃsarudhiratvacasnāyunaddhaḥ
    svetaṃśiro[12] viraladanta kṛṣāṅgarūpā[13]
    ālambya daṇḍa vrajate asukhaṃ skhalantaḥ

sārathir āha:

2. eṣo hi deva puruṣo jarayābhibhūtaḥ
    kṣīṇendriyaḥ sudukhito[14] balavīryahīnaḥ

1. mss., for °thī. **2.** mss. (v.l. °rodyāna°), for (em.) °ra (ud°). **2a.** best ms. °krameyaṃ; read so? (§38.27). **3.** mss., for °ra. **4.** mss. °ni. **5.** §10.23. **5a.** Lefm. with v.l. °kiṅkinī°. **6.** a minority of mss. (incl. the usually best) add: atha śuddhāvāsakāyikā devā nidhyāpayanti (q.v. D.) sma, bodhisattvaṃ āharituṃ; bracketed in Lefm., not in Tib. or Calc. **7.** mss., for °kair. **8.** all mss. but one, for (ed. with best ms.) °vakro. **8a.** all mss. (except one kharu°), for (em.) kharakharā°. **9.** Lefm. with 1 ms. om. purataḥ; Mv confirms other mss. **10.** most and best mss. (confirmed by Pali pavedhamānaṃ DN ii.22.2 and Jāt. i.59.5), for Lefm. pravepa°. **11.** mss.; may be kept (short o), §§3.74, 8.19; for Lefm. °la. **12.** §§2.63, 75. **13.** §2.59; mss. °rūpā (§8.24), v.l. °pa, for (em.) °po. **14.** m.c., for suduḥ°.

bandhūjanena paribhūta anāthabhūtaḥ
kāryāsamartha apaviddhu vane va dāruḥ

bodhisattva āha:

3. kuladharma eṣa ayam asya hi taṃ bhaṇāhi
athavāpi sarvajagato 'sya iyaṃ hy avasthā
śīghraṃ bhaṇāhi vacanaṃ yathabhūtam etat
śrutvā tathārtham iha yoniśa cintayiṣye

sārathir āha:

4. naitasya deva kuladharma na rāṣṭradharmaḥ
sarvajagato sya[15] jara yauvanu dharṣayāti[16]
tubhyaṃ pi mātṛpitṛbāndhavajñātisaṃgho
jarayā amukta na hi anya gatir janasya

bodhisattva āha:

5. dhik sārathe abudha bālajanasya buddhiḥ
yad yauvanena madamatta jarāṃ na paśyet
āvartayāśu mi[16a] rathaṃ puna haṃ[17] praveṣye[18]
kiṃ mahya[19] krīḍaratibhir jarayāśritasya

atha bodhisattvaḥ pratinivartya rathavaraṃ punar api puraṃ prāviśat. iti hi bhikṣavo bodhisattvo 'pareṇa kālasamayena dakṣiṇena nagaradvāreṇodyānabhūmim abhiniṣkraman mahatā vyūhena so 'drākṣīn mārge puruṣaṃ vyādhispṛṣṭaṃ dagodarābhibhūtaṃ[20] durbalakāyaṃ svake mūtrapurīṣe nimagnam atrāṇam apratiśaraṇaṃ kṛcchreṇocchvasantaṃ prasvasantaṃ.[20a] dṛṣṭvā ca punar bodhisattvo jānann eva sārathim idam avocat:

6. kiṃ sārathe puruṣ' aruṣyavivarṇagātraḥ[21]
sarvendriyebhi[22] vikalo guru prasvasantaḥ
sarvāṅgasuṣka udarākulakṛcchraprāpto
mūtre purīṣi svaki tiṣṭhati kutsanīye

sārathir āha:

7. eṣo hi deva puruṣo paramaṃ gilāno
vyādhībhayaṃ upagato maraṇāntaprāptaḥ
ārogyatejarahito balaviprahīno
atrāṇadvīpaśaraṇo[23] hy aparāyaṇaś ca

bodhisattva āha:

8. ārogyatā ca bhavate yatha svapnakrīḍā
vyādhībhayaṃ ca imam īdṛśa[24] ghorarūpaṃ
ko nāma vijñapuruṣo ima dṛṣṭv' avasthāṃ
krīḍāratiṃ ca janayec chubhasaṃjñatāṃ vā

atha khalu bhikṣavo bodhisattvaḥ pratinivartya rathavaraṃ punar api puravaraṃ prāvikṣat. iti hi bhikṣavo bodhisattvo 'pareṇa kālasamayena paścimena nagaradvāreṇodyānabhūmim abhiniṣkraman mahatā vyūhena so 'drākṣīt

15. mss. (one °jagasya, om. to), for Lefm. sarve jagasya; the syllables -vaja- are equivalent to one long; 'of this whole world'. **16.** mss. °yati; em. Lefm. **16a.** so Lefm. with one ms. and Tib.; most mss. iha, m-iha, mi hi (all unmetr.); Tib. lacks iha. **17.** m.c., for punar ahaṃ. **18.** §2.26. **19.** mss. mahyaṃ; em. Lefm. **20.** my em.; D. dagodara. **20a.** for Lefm. with 1 ms. praśvas°. **21.** D. aruṣya. **22.** mss. °yābhi, °yabhiḥ, °yibhiḥ; em. Lefm. **23.** Tib. favors a single cpd., a- plus the rest (not atrāṇ' advīp' aśa°). **24.** most and best mss., for °śu.

puruṣaṃ mṛtaṃ kālagataṃ mañce samāropitaṃ cailavitānīkṛtaṃ jñātisaṃghaparivṛtaṃ sarvai rudadbhiḥ krandadbhiḥ paridevamānaiḥ prakīrṇakeśaiḥ pāṃśvavakīrṇaśirobhir[25] urāṃsi tāḍayadbhir utkrośadbhiḥ pṛṣṭhato 'nugacchadbhiḥ. dṛṣṭvā ca punar bodhisattvo jānann eva sārathim idam avocat:

9. kiṃ sārathe puruṣa mañcapariggṛhīto[26]
 uddhūtakeśa nara[27] pāṃśu śire kṣipanti
 paricārayitva viharanty ura[28] tāḍayanto
 nānāvilāpavacanāni udīrayantaḥ

sārathir āha:

10. eṣo hi deva puruṣo mṛtu jambudvīpe
 na hi bhūyu mātṛpitṛ drakṣyati putradārāṃ
 apahāya bhogagṛha mitrajñātisaṃghaṃ[29]
 paralokaprāptu na hi drakṣyati bhūya[30] jñātīṃ

bodhisattva āha:

11. dhig yauvanena jarayā samabhidrutena
 ārogya[30a] dhig vividhavyādhiparāhatena
 dhig jīvitena viduṣo[31] nacirasthitena
 dhik paṇḍitasya puruṣasya ratiprasaṅgaiḥ

12. yadi jara na bhaveyā naiva vyādhir na mṛtyuḥ
 tatha pi ca mahaduḥkhaṃ pañcaskandhaṃ dharanto[32]
 kiṃ puna jaravyādhir mṛtyu nityānubaddhāḥ
 sādhu pratinivartyā[33] cintayiṣye pramokṣaṃ

atha khalu bhikṣavo bodhisattvaḥ pratinivartya taṃ rathavaraṃ punar api puraṃ prāvikṣat. iti hi bhikṣavo bodhisattvasyāpareṇa kālasamayenottareṇa nagaradvāreṇodyānabhūmim abhiniṣkrāmatas tair eva devaputrair bodhisattvasyānubhāvenaiva tasmin mārge bhikṣur abhinirmito 'bhūt. adrākṣīd bodhisattvas taṃ bhikṣuṃ śāntaṃ dāntaṃ saṃyataṃ brahmacāriṇam avakṣiptacakṣuṃ[34] yugamātraprekṣiṇaṃ prāsādikeneryāpathena[35] saṃpannaṃ prāsādikenābhikramapratikrameṇa saṃpannaṃ prāsādikenāvalokitavyavalokitena prāsādikena saṃmiñjitaprasāritena[36] prāsādikena saṃghāṭīpātracīvaradhāraṇena mārge sthitaṃ. dṛṣṭvā ca punar bodhisattvo jānann eva sārathim idam avocat:

13. kiṃ sārathe puruṣa śānta praśāntacitto
 notkṣiptacakṣu vrajate yugamātradarśī
 kāṣāyavastravasano supraśāntacārī
 pātraṃ gṛhītva na ca uddhatu[37] unnato vā

25. mss. pārśvāva°; em. Lefm. with Tib 26. §2.7; for °parigṛ°. 27. my em., with Tib. and Foucaux Transl., for nakha. 28. m.c. for (Lefm. with most mss.) uras; best ms. aru. 29. the usually best ms. has, for mitra, mātṛpitṛ (which Lefm. prints in parens. before mitra, perhaps with other mss. [note is not clear]; it is not in Tib. and certainly not original); the meter is right if the 2d syllable of mitra be taken as a long (for two shorts), in close juncture with jñāti-; or we may read mitrā-, or mitra ca. 30. all mss. but one, for °yu. 30a. §8.8. 31. most and best mss. with Tib. (mkhas la), for °ṣā. 32. §18.69. 33. ger. of caus., 'having made (the chariot) return'; so Tib. clearly. 34. ava-, my em. (= Pali avakkhitta-, okkhitta-cakkhu), for Lefm. avi-, v.l. anu-, -kṣi°; -cakṣuṃ (§16.45), best ms., for Lefm. with other mss. -cakṣuṣaṃ. 35. Lefm. °nairyā° (misprint?). 36. D.; for best ms. canmi°, Lefm. with other mss. sami°. 37. mss. na coddha°; em. Lefm.

sārathir āha:

14. eṣo hi deva puruṣo iti bhikṣu nāmā
    apahāya kāmaratayaḥ suvinītacārī
    pravrajyaprāptu samam[38] ātmana eṣamāṇo
    saṃrāgadveṣavigato 'ṇvati[39] piṇḍacaryā[40]

bodhisattva āha:

15. sādhū[41] subhāṣitam idaṃ mama rocate ca
    pravrajya nāma vidubhiḥ satataṃ prasastā[42]
    hitam ātmanaś ca parasattvahitaṃ ca yatra
    sukhajīvitaṃ sumadhuraṃ amṛtaṃ phalaṃ ca

atha khalu bhikṣavo bodhisattvaḥ pratinivartya taṃ rathavaraṃ punar api puravaraṃ prāvikṣat.

38. v.l. śamam (which gives the mg.). **39.** D.; my em. for Lefm. 'nveti (unmetr.); vv.ll. 'ṇvata, 'ṇṭata. **40.** all mss. but the best °ryāṃ (read so?). **41.** mss. (?) sādhu; em. Lefm. **42.** Lefm. with all mss. (Calc. praśa°; §2.63).

5

The First Sermon (Mahāvastu), Part 1

This, known as the Dharmacakrapravartanasūtra, is a combination of two originally quite distinct parts, in Mv and LV, and in the Pali Vin. i.8.31 ff. Mv still clearly shows the seam between them. Part 1, Mv iii.328.20–329.15, an introduction to the Sermon, occurs elsewhere in Pali by itself, in MN i.171 ff., immediately following Buddha's meeting with the ājīvika Upaka, which also immediately precedes in Vin., and not quite immediately, but after short and largely similar intervening sections, in Mv and LV. The beginning of Part 1 is fairly similar to the Pali in both Mv and LV, but expanded in Mv and still more in LV; yet fundamentally the opening sentences in the LV tradition resemble the Pali more than Mv does at this point. Part 1 is concluded in Mv with a passage of about a page (329.16–330.16) which I omit here. Then, in Mv, 330.17–333.17, Part 2, the Sermon proper, begins with evaṃ mayā śrutam, as if it were a quite independent text. And indeed it is that. It occurs alone in Pali SN v.420 ff., introduced by evaṃ me sutaṃ. The two parts are much more skillfully joined in Vin., which conceals the seam quite well. In LV there is a much longer expansion (omitted here) at the end of Part 1 (it only partly resembles the page of Mv which I have omitted), into which at last the beginning of Part 2 is skillfully and imperceptibly fitted. The bald and awkward way in which Mv joins the two originally disconnected parts suggests relative antiquity (as well as lack of art) in this aspect of the Mv tradition, contrasting with not only LV but even the Pali Vin.

Ṛṣipatane[1] pañcakā bhadravargiyā viharanti Ājñātakauṇḍinyo[2] Aśvakī Bhadrako Vāṣpo Mahānāmo. Bhagavāṃ Vārāṇasīto piṇḍāya caritvā kṛtabhaktakṛtyo Ṛṣipatanaṃ gacchati. pañcakehi bhadravargīyehi Bhagavān dṛṣṭo, dūrato evāgacchantaṃ dṛṣṭvā Bhagavantaṃ kriyākāraṃ karonti: ayaṃ śramaṇo Gautamo āgacchati śaithiliko bāhuliko prahāṇavikrānto na kenacit pratyutthātavyo.[3] Bhagavāṃ cāgacchati te ca svakasthāneṣu[4] na ramanti. sayyathāpi nāma śakuntā[5] nīḍagatā vā vṛkṣaśākhāgatā vā heṣṭato agninā saṃtāpiyamānā utpatetsuḥ,[6] evam eva pañcakā bhadravargīyā[7] dūrato evāgacchantasya svakasvakeṣv āsaneṣu ratiṃ avindantā Bhagavantaṃ pratyutthāyetsuḥ pratyudgametsuḥ:[8] ehi āyuṣmāṃ[9] Gautama svāgataṃ āyuṣmato Gautamasyānurāgataṃ[10] āyuṣmato Gautamasya. Bhagavān āha: bhagnā vo bhikṣavaḥ bhadravargīyā pratijñā mā bhikṣavo bhadravargīyā tathāgataṃ āyuṣmaṃvādena samācaratha. teṣāṃ dāni Bhagavatā śikṣāvādenābhāṣṭānāṃ[11] yat kiṃcit tīrthikaliṅgaṃ tīrthikaguptiṃ[12] tīrthikakalpaṃ sarvaṃ samantarahitaṃ tricīvarā[13] ca prādurbhavetsuḥ sumbhakā ca pātrā prakṛtisvabhāvasaṃsthitā ca keśā iryāpathā[14] ca sānaṃ[15] saṃsthihe; sayyathāpi nāma varṣaśatopasaṃpannānāṃ bhikṣūṇāṃ eṣa[16] āyuṣmantānāṃ[17] pañcānāṃ bhadravargīyānāṃ pravrajyopasaṃpadā bhikṣubhāvo. te dāni pakvatailena Bhagavantaṃ nimantrayetsuḥ. [*A passage follows which is omitted here; see above; only the first lines are paralleled in LV.*]

1. v.l. °pattane; so in sequel. **2.** mss. °yā; to be kept? §8.24. **3.** mss., for °vyaṃ. **4.** one ms., v.l. svake sthānaṃ; for (em.) svakeṣu sthā°. **5.** mss. °to. **6.** Senart em. °tensuḥ; §§32.95 ff. **7.** v.l. °iyā, also later (not noted here). **8.** Senart em. °yensuḥ, °mensuḥ, as n. 6; so also below (not noted here). **9.** mss., for (em.) °maṃ; §18.81. **10.** §4.63. **11.** v.l. °dena ābhā°; §34.11. **12.** mss., for (em.) °ti; §10.23; D. gupti. **13.** mss. here °re; n. pl., cf. §8.80; but elsewhere this cliché regularly reads °rā. **14.** mss., for (em.) īryāpatho; §3.38. **15.** §21.45. **16.** §9.8. **17.** v.l. °matānāṃ, equally possible.

6

The First Sermon (Mahāvastu), Part 2

Mv iii.330.17–333.17. See under preceding. Pali Vin. i.10.10 ff.; SN (which lacks the preceding) v.420 infra, ff. After the opening sentence Vin. and SN agree practically literatim thru this passage.

evaṃ mayā śrutam[1] ekasmiṃ samaye Bhagavāṃ Vārāṇasyāṃ viharati Ṛṣivadane[2] mṛgadāve. tatra Bhagavāṃ āyuṣmantāṃ pañcakā[3] bhadravargīyām[4] āmantresi bhikṣava[5] iti Bhagavān[6] iti bhikṣū Bhagavantaṃ[7] pratyaśroṣīt. Bhagavāṃ sānam etad uvāca: dvāv imau bhikṣavaḥ pravrajitasya antau. katamā dvau. yaś cāyaṃ kāmeṣu kāmasukhallikānuyogo[8] grāmyo prāthujjaniko nālamāryo nārthasaṃhito nāyatyāṃ[9] brahmacaryāye[10] na nirvidāye na virāgāye na nirodhāye na śrāmaṇyāye na saṃbodhāye na nirvāṇāye saṃvartati; yaś cāyaṃ ātmakilamathānuyogo[11] duḥkho anāryo anarthasaṃhito. imau bhikṣavaḥ dvau pravrajitasya antau ete ca bhikṣavo ubhau antāv anupagamya tathāgatenāryasmiṃ[12] dharmavinaye madhyamā pratipadā anusaṃbuddhā[13] cakṣukaraṇīyā upasamasaṃvartanikā[14] nirvidāye virāgāye nirodhāye śrāmaṇyāye saṃbodhāye nirvāṇāye saṃvartati. katamā sā bhikṣavaḥ tathāgatenāryasmiṃ dharmavinaye madhyamā pratipadā abhisaṃbuddhā cakṣukaraṇīyā jñānakaraṇīyā upasamasaṃvartanikā[15] . . . (*etc. to*) saṃvartati. yam idam āryāṣṭāṅgikā[16] sayyathīdaṃ samyagdṛṣṭiḥ samyaksaṃkalpaḥ samyagvyāyāmaḥ samyakkarmānto[17] samyagājīvaḥ samyagvāk samyaksmṛtiḥ samyaksamādhir iyaṃ sā bhikṣavaḥ tathāgatenā . . . (*etc., omitting* jñānakaraṇīyā, *to*) saṃvartati.

catvāri khalu punar imāni bhikṣavo āryasatyāni. katamāni catvāri. sayyathīdaṃ: duḥkham āryasatyaṃ duḥkhasamudayo āryasatyaṃ duḥkhanirodho āryasatyaṃ duḥkhanirodhagāminī pratipadāryasatyaṃ. tatra bhikṣavaḥ katamaṃ duḥkhaṃ āryasatyaṃ. tad yathā: jātiḥ[18] duḥkhaṃ jarā duḥkhaṃ vyādhi duḥkhaṃ maraṇaṃ[19] duḥkhaṃ apriyasaṃprayogaṃ[20] duḥkhaṃ priyaviprayogaṃ duḥkhaṃ yaṃ p' icchanto[21] paryeṣanto na labhati taṃ pi duḥkhaṃ rūpaṃ duḥkhaṃ vedanā duḥkhā[22] saṃjñā duḥkhā saṃskārā duḥkhā vijñānaṃ duḥkhaṃ saṃkṣiptena pañcopādānaskandhā duḥkhā. idaṃ bhikṣavaḥ duḥkham āryasatyaṃ. tatra katamo duḥkhasamudayo āryasatyaṃ. yāyaṃ[23] tṛṣṇā paunarbha-

1. mss., for °taṃ. **2.** v.l. Ṛṣipattane. **3.** mss., for °kāṃ; §8.92. **4.** one ms. (°vārg°), for (em.) °gīyāṃ; v.l. °gīkāṃ; §2.65. **5.** v.l. °va-r-; §4.62. **6.** mss., for °van; n. 9 to Part 1. **7.** one ms. °vanta, perh. read so, §§8.32, 18.4 ff.; v.l. °vataḥ. **8.** mss. (corruptly °gyo), with Pali, for °kāyogo (em. with LV). **9.** ? Senart em. with LV; mss. nāti-; read nāyatiṃ? (D. āyatiṃ.) **10.** ? mss. °ryasya, °ryaṃ syā; cf. LV. **11.** mss. °gā. **12.** with Pali tathāgatena, and below; for tathāgatasyār°, em., mss. °gatār°, °gatānār°. **13.** D. **14.** for upasamāye (em.; mss. °sama- = °śama-) saṃ° (mss. °tatikā; cf. Pali saṃvattanika). **15.** mss. °tatikā. **16.** v.l. °kaḥ. **17.** misprinted °manto, cf. below. Note transposition of -vyāyāmaḥ and -vāk; repetition below has regular order, with LV and Pali. **18.** v.l. jāti. **19.** mss. °ṇa. **20.** v.l. °go. **21.** so with one ms. for (em.) pīcchanto. **22.** v.l. °kham. **23.** so Senart em. with Pali; mss. yogaṃ; could also be yeyaṃ with LV.

vikā nandīrāgasahagatā tatratatrābhinandinī, ayaṃ bhikṣavo duḥkhasamudayo āryasatyaṃ. tatra katamo duḥkhanirodho āryasatyo.[24] yo etasyaiva tṛṣṇāye nandīrāgasahagatāye tatratatrābhinandinīye aśeṣakṣayo virāgo nirodho tyāgo prahāṇo pratiniḥsargo ayaṃ bhikṣavo duḥkhanirodho āryasatyaḥ. tatra katamā duḥkhanirodhagāminī pratipadāryasatyā. eṣaiva āryāṣṭāṅgo mārgo. tad yathā: samyagdṛṣṭiḥ samyaksaṃkalpaḥ samyagvācā samyakkarmāntaḥ samyagājīvaḥ samyagvyāyāmaḥ samyaksmṛtiḥ samyaksamādhiḥ iyaṃ bhikṣavaḥ duḥkhanirodhagāminī pratipadāryasatyaṃ.

idaṃ duḥkham iti bhikṣavaḥ pūrve ananuśrutehi dharmehi yonisomanasikārā jñānaṃ udapāsi[25] cakṣur udapāsi vidyā udapāsi buddhi udapāsi bhūrir udapāsi prajñā udapāsi ālokaṃ prādurbhūṣi.[26] ayaṃ duḥkhasamudayo ti . . . , ayaṃ duḥkhanirodho ti . . . , iyaṃ ca duḥkhanirodhagāminī pratipadā iti . . . (*essentially as before but inserting* medhā udapāsi *before* prajñā). [*This is the first of the three 'turns', see* D. parivarta (1); *as there explained, the other two are confused and compressed in Mv, which however is obviously based on substantially the same text as LV; the Mv version of them is here omitted.*]

yāvac cāhaṃ bhikṣavaḥ[27] imāni catvāry āryasatyāni evaṃ triparivartaṃ dvādaśākāraṃ yathābhūtaṃ samyakprajñayā nābhyajñāsiṣaṃ na tāvad ahaṃ anuttarāṃ samyaksaṃbodhim abhisaṃbuddho pratijāne 'haṃ[28] nāpi tāva me jñānaṃ udapāsi akopyā ca[29] me cetomuktiḥ[29a] sākṣīkṛtā. yato ahaṃ bhikṣavaḥ imāni catvāry āryasatyāni evaṃ triparivartaṃ dvādaśākāraṃ yathābhūtaṃ[30] samyakprajñayā[31] abhyajñāsiṣaṃ athāhaṃ anuttarāṃ samyaksaṃbodhim abhisaṃbuddho ti prajānāmi[32] jñānaṃ ca me udapāsi akopyā ca me cetovimuktiḥ prajñāvimuktiḥ sākṣīkṛtā.

24. v.l. °yaṃ. **25.** §32.60; Pali udapādi. **26.** v.l. for prādurabhūṣi. **27.** v.l. °vo. **28.** duplication of ahaṃ; cf. §§31.21–22 and fn. 2; here the verb is probably preterite. **29.** one ms. (v.l. va), for (em.) na; the negation in nāpi carries over. **29a.** so text, no v.l.; read cetovimuktiḥ as below? **30.** as above and Pali; for tathā°. **31.** v.l. °āyā. **32.** read pratijā°?

7

The First Sermon (Lalitavistara), Part 1

LV 407.12–409.20. See under selection 5 above.

iti hi bhikṣavas tathāgato 'nupūrveṇa janapadacaryāṃ caran yena Vārāṇasī mahānagarī tenopasaṃkrāmad upasaṃkramya kālyam[1] eva nivāsya pātracīvaram ādāya Vārāṇasīṃ mahānagarīṃ piṇḍāya prāvikṣat. tasyāṃ piṇḍāya caritvā kṛtabhaktakṛtyaḥ paścādbhaktapiṇḍapātrapratikrāntaḥ, yena Ṛṣipatano mṛgadāvo yena ca pañcakā bhadravargīyās tenopasaṃkrāmati sma. adrākṣuḥ khalu punaḥ pañcakā bhadravargīyās tathāgataṃ dūrata evāgacchantaṃ dṛṣṭvā ca kriyābandham akārṣuḥ: eṣa sa āyuṣmantaḥ[2] śramaṇo Gautama āgacchati sma, śaithiliko bāhulikaḥ prahāṇavibhraṣṭaḥ. anena khalv api tayāpi tāvat pūrvikayā duṣkaracaryayā na śakitaṃ kiṃcid uttarimanuṣyadharmād alamāryajñānadarśanaviśeṣaṃ sākṣātkartuṃ. kiṃ punar etarhy audārikam[3] āhāram āharan sukhallikāyogam anuyukto viharann abhavyaḥ[4] khalv eṣa śaithiliko bāhuliko nāsya kenacit pratyudgantavyaṃ na pratyutthātavyaṃ, na pātracīvaraṃ pratigrahītavyaṃ[5] nāsanaṃ[6] dātavyaṃ na pānīyaṃ paribhogyaṃ na pādapratiṣṭhānaṃ sthāpayitvātiriktāny āsanāni vaktavyaś[7] ca: saṃvidyanta[8] imāny āyuṣman Gautamātiriktāny āsanāni saced ākāṅkṣasi niṣīdeti. āyuṣmāṃs[9] tv Ājñātakauṇḍinyaś[10] citte nādhivāsayati sma, vācā ca na pratikṣipati sma. yathā-yathā ca bhikṣavas tathāgato yena pañcakā bhadravargīyās tenopasaṃkrāmati sma, tathā-tathā te svakasvakeṣv āsaneṣu na ramante[11] sma, utthātukāmā abhūvan. tadyathāpi nāma pakṣī śakunī[12] pañjaragataḥ[13] syāt tasya ca[14] pañjaragatasyādho[13] 'gnir dagdho bhavet, so 'gnisaṃtaptas tvaritam ūrdham[15] utpatitukāmo bhavet praitukāmaś[16] caivam eva yathā-yathā tathāgataḥ pañcakānāṃ bhadravargīyāṇāṃ sakāśam upasaṃkrāmati sma, tathā-tathā pañcakā bhadravargīyā[17] svakasvakeṣv āsaneṣu na ramante sma, utthātukāmābhūvan.[18] tat kasmāt: na sa kaścit sattvaḥ sattvanikāye saṃvidyate yas tathāgataṃ dṛṣṭvā[17] āsanān na pratyuttiṣṭhet. yathā-yathā ca tathāgataḥ pañcakā[19] bhadravargīyān upasaṃkrāmati sma, tathā-tathā pañcakā bhadravargīyās tathāgatasya śriyaṃ tejaś cāsahamānā āsanebhyaḥ prakampyamānāḥ sarve kriyākāraṃ bhittvotthāyāsanebhyaḥ[20] kaścit pratyudgacchati sma, kaścit pratyudgamya pātracīvaraṃ pratigṛhnāti[21] sma; kaścid āsanam upanāmayati

1. misprinted kālpam. 2. so repetition 409.15; here text (em.) °nta, mss. mostly āyuṣmān, vv.ll. °man, °mantaṃ. 3. for audarikam, q.v. D. 4. delete daṇḍa. 5. misprinted pratipra°. 6. v.l. for nāśanaṃ. 7. all mss. but one, for °vyaṃ. 8. for °taḥ, Lefm. with mss., then daṇḍa (which I transpose to before saṃ°); °te is of course meant. 9. mss. °man, or (one) °maṃs, perh. to be kept as MIndicism, §3.34, or confusion with pres. pples., cf. §18.76. 10. v.l., for Ājñāna°. 11. best mss. °ti, but °te below. 12. best mss. (§10.27), for °niḥ. 13. v.l. pañjala°. 14. best mss. om. ca. 15. D. 16. praitu- (?) for pratretu-, q.v. D. 17. no v.l. 18. most and best mss., for °kāmā abhū°. 19. most and best mss., prob. to be read for °kān; §8.92. 20. v.l. bhittvāścot°; ed. em. °tvā cot°. 21. so, n, all mss.; §2.39.

sma, kaścit pādapratiṣṭhāpanaṃ kaścit pādaprakṣālanodakam[21] upasthāpayati sma, evaṃ cāvocat:[17] svāgataṃ te āyuṣman Gautama svāgataṃ te āyuṣman Gautama niṣīdedam āsanaṃ prajñaptaṃ. nyaṣīdat khalv api bhikṣavas tathāgataḥ prajñapta evāsane pañcakā bhadravargīyās[22] tathāgatena sārdhaṃ vividhāṃ[23] saṃmodanīṃ[23] saṃrañjanīṃ[23] kathāṃ kṛtvaikānte niṣedur[24] ekānte niṣaṇṇāś ca te pañcakā bhadravargīyās tathāgatam etad avocat:[25] viprasannāni te āyuṣman Gautamendriyāṇi pariśuddhaś chavivarṇa iti hi sarvaṃ pūrvavat.[26] tata[26a] asti te āyuṣman Gautama kaścid uttarimanuṣyadharmād alamāryajñānadarśanaviśeṣaḥ sākṣātkṛtaḥ. evam ukte bhikṣavas tathāgataḥ pañcakān bhadravargīyān evam āha: mā yūyaṃ bhikṣavas tathāgatam āyuṣmadvādena samudācariṣṭa, mā vo bhūd dīrgharātram anarthāyāhitāyāsukhāya.[27] amṛtaṃ mayā bhikṣavaḥ sākṣātkṛto[28] 'mṛtagāmī ca[29] mārgaḥ. buddho 'ham asmi bhikṣavaḥ sarvajñaḥ sarvadarśī śītībhūto[29a] 'nāśravaḥ . . . [*here I omit from 409.9 to 17.*]

teṣāṃ ca ehi bhikṣava[30] ity ukte yat kiṃcit tīrthikaliṅgaṃ tīrthikadhvajaḥ sarvo 'sau tatkṣaṇam evāntaradhāt, tricīvaraṃ pātraṃ ca prādurabhūt tadanu[31] chinnāś ca keśāḥ; tadyathāpi nāma varṣaśatopasaṃpannasya bhikṣor īryāpathaḥ saṃvṛtto 'bhūt saiva[32] teṣāṃ pravrajyābhūt saivopasaṃpad bhikṣubhāvaḥ. [*A long passage follows, 409.21–416.15, omitted here.*]

22. most and best mss., for pañcakāpi °yās te. **23.** best mss. °vidhā, °danī, om. saṃra°; perh. read so, but all mss. kathāṃ. **24.** all mss., for (em.) °duḥ (adding daṇḍa). **25.** nearly all mss., for °can; §25.22; 3 pl. doubtless also meant above, evaṃ cāvocat. **26.** refers to LV 405.7 ff. **26a.** best ms., for (2 mss.) tad; others omit. **27.** §42.7. **28.** §6.12; here gender of the next words may be involved. **29.** for (error) va; D. va (2). **29a.** best mss. śīti°, perh. read so. **30.** D. ehibhikṣukā. **31.** best mss. atho, tad·atho. **32.** best mss.; ed. with v.l. adds ca.

8

The First Sermon (Lalitavistara), Part 2

LV 416.15–418.21.

rātryāḥ paścime yāme pañcakān bhadravargīyān āmantryaitad avocat: dvāv imau bhikṣavaḥ pravrajitasyāntāv akramau;[1] yaś ca kāmeṣu kāmasukhallikāyogo hīno grāmyaḥ pārthagjaniko[2] nālamāryo 'narthasaṃhitaḥ[3] nāyatyāṃ brahmacaryāya na nirvide na virāgāya na nirodhāya nābhijñāya[4] na saṃbodhaye na nirvāṇāya saṃvartate; yā[5] ceyam amadhyamā pratipad ātmakāyaklamathānuyogo duḥkho 'narthopasaṃhito[6] dṛṣṭadharmaduḥkhaś cāyatyāṃ ca duḥkhavipākaḥ. etau ca bhikṣavo dvāv antāv anupagamya madhyamayaiva pratipadā tathāgato dharmaṃ deśayati, yad uta samyagdṛṣṭiḥ samyaksaṃkalpaḥ samyagvāk samyakkarmāntaḥ samyagājīvaḥ samyagvyāyāmaḥ samyaksmṛtiḥ samyaksamādhir iti.

catvārīmāni bhikṣava āryasatyāni. katamāni catvāri. duḥkhaṃ duḥkhasamudayo duḥkhanirodho duḥkhanirodhagāminī pratipat. tatra katamad duḥkhaṃ. jātir api duḥkhaṃ jarāpi duḥkhaṃ vyādhir api duḥkhaṃ maraṇam api apriyasaṃprayogo 'pi priyaviprayogo 'pi duḥkhaṃ, yad api icchan paryeṣamāṇo na labhate tad api duḥkhaṃ, saṃkṣepāt[7] pañcopādānaskandhā duḥkham idam ucyate duḥkhaṃ. tatra katamo duḥkhasamudayo[8] yeyaṃ tṛṣṇā paunarbhavikī[9] nandīrāgasahagatā tatratatrābhinandiny ayam[10] ucyate duḥkhasamudayaḥ. tatra katamo duḥkhanirodho[11] yo 'syā eva tṛṣṇāyāḥ punarbhavikyā nandīrāgasahagatāyās tatratatrābhinandinyā janikāyā nivartikāyā aśeṣo virāgo nirodho 'yaṃ duḥkhanirodhaḥ. tatra katamā duḥkhanirodhagāminī pratipat. ya eṣāryāṣṭāṅgo[12] mārgaḥ. tad yathā, samyagdṛṣṭir yāvat samyaksamādhir iti. iyam[13] ucyate duḥkhanirodhagāminī pratipad āryasatyam iti. imāni bhiksavaś catvāry āryasatyāni.

iti duḥkham iti me bhikṣavaḥ pūrvam aśruteṣu dharmeṣu[14] yonisomanasikārā[15] bahulīkārā[15] jñānam utpannaṃ cakṣur utpannaṃ vidyotpannā bhūrir utpannā medhotpannā prajñotpannā ālokaḥ prādurbhūtaḥ. ayaṃ duḥkhasamudaya iti me . . . (*as before but mss.* °kārāt). ayaṃ duḥkhanirodha iti me bhikṣavaḥ sarvaṃ pūrvavad yāvad ālokaḥ prādurbhūtaḥ. iyaṃ duḥkhanirodhagāminī pratipad iti me bhikṣavaḥ pūrvavad eva peyālaṃ yāvad ālokaḥ prādurbhūtaḥ. [*End of first 'turn'*, D. parivarta.]

yat[16] khalv idaṃ duḥkhaṃ parijñeyam iti me bhikṣavaḥ pūrvavad eva peyā-

1. so the mss. (some akramo) corruptly indicate; so Tib. **2.** mss. mostly prārth°; D. **3.** best mss., for °thopasaṃ°. **4.** note MIndic form! **5.** v.l. ya, intending yaś; text is here disturbed. **6.** no v.l.; read 'narthasaṃhito with above, n. 3, Mv, and Pali? **7.** v.l. °pataḥ. **8.** mss., for (em.) °yaḥ (daṇḍa). **9.** v.l. punar°. **10.** or, °nī ayam, for both edd. °nyāyam, without v.l. or note; ignored by Weller. **11.** mss., for (em.) °dhaḥ (daṇḍa). **12.** best mss., for (om. ya) eṣa evāryāṣṭāṅga-. **13.** best mss., for idam. **14.** Pali pubbe an-anussutesu dhammesu; cf. Mv. **15.** best mss., with Mv, as abl., for °kārād, °rāt (°rāj). **16.** v.l. tata(ḥ); read tat, as in next paragraph?

laḥ[17] prādurbhūtaḥ. sa khalv ayaṃ duḥkhasamudayaḥ prahātavya iti . . . sa khalv ayaṃ duḥkhanirodhaḥ sākṣātkartavya iti . . . sā khalv iyaṃ duḥkhanirodhagāminī pratipad bhāvayitavyeti . . . (*etc., variously abbreviated*). [*End of second 'turn'.*]

tat[18] khalv idaṃ duḥkhaṃ parijñātam iti me bhikṣavaḥ pūrvam aśruteti peyālaḥ.[19] sa khalv ayaṃ duḥkhasamudayaḥ prahīṇa iti me bhikṣavaḥ pūrvam aśruteti peyālaḥ.[19] sa khalv ayaṃ duḥkhanirodhaḥ sākṣātkṛta iti me bhikṣavaḥ pūrvam aśruteti peyālaḥ.[19] sā khalv iyaṃ duḥkhanirodhagāminī pratipad bhāviteti me bhikṣavaḥ . . . (*etc. in full to*) prādurbhūtaḥ. [*End of third 'turn'.*]

iti hi bhikṣavo yāvad eva me eṣu catuṣv[20] āryasatyeṣv evaṃ[21] yoniso manasikurvato evaṃ triparivartaṃ dvādaśākāraṃ jñānadarśanam utpadyate na tāvad ahaṃ bhikṣavo 'nuttarāṃ[22] samyaksaṃbodhim abhisaṃbuddho 'smi iti pratijñāsiṣaṃ,[20] na ca me jñānadarśanam utpadyate. yataś ca me bhikṣava eṣu catuṣv āryasatyeṣv evaṃ triparivartaṃ dvādaśākāraṃ jñānadarśanam utpannaṃ, akopyā ca me cetovimuktiḥ prajñāvimuktiś ca sākṣātkṛtā, tato 'haṃ bhikṣavo 'nuttarāṃ samyaksaṃbodhim abhisaṃbuddho 'smi iti pratijñāsiṣaṃ, jñānadarśanaṃ ca[23] me udapādi kṣīṇā me jāti[24] uṣitaṃ brahmacarya[25] kṛtaṃ karaṇīyaṃ nāparam asmād[26] bhavaṃ prajānāmi.

17. so best mss.; others substitute yāvad ālokaḥ; ed. prints both readings but em. peyālaṃ. **18.** v.l. (2 mss.) tataḥ; cf. n. 16. **19.** so best mss. **20.** see §1.46. **21.** best mss.; ed. om. **22.** all mss. but one °rā; perh. read so, but cf. below. **23.** mss.; ed. om. ca. **24.** best mss., for jātir. **25.** mss. and Calc. (§8.32), or (em.) °ryaṃ. **26.** most and best mss., for nāparasmād.

9

The Chain of Causation (Pratītyasamutpāda; Lalitavistara verses)

LV 418.22–420.10; immediately follows the preceding selection.

tatredam ucyate:

1. vācāya[1] brahmarutakinnaragarjitāya
   aṅgaiḥ[2] sahasranayutebhi samudgatāya
   bahukalpakoṭi[3] sada[4] satyasubhāvitāya
   Kauṇḍinyam ālapati Śākyamuniḥ[5] svayaṃbhūḥ
2. cakṣūr[6] anityam adhruvaṃ[7] tatha śrota ghrāṇaṃ
   jihvāpi kāya mana duḥkha[8] anātma śūnyāḥ[9]
   jāḍāsvabhāva[10] tṛṇakuḍya ivā nirīhā
   naivātra atma[11] na naro na ca jīvam[12] asti
3. hetuṃ pratītya imi saṃbhuta sarvadharmā
   atyanta dṛṣṭivigatā gaganaprakāśā[13]
   na ca kārako 'sti tatha naiva ca vedako 'sti
   na ca karma paśyati kṛtaṃ hy aśubhaṃ śubhaṃ vā
4. skandhā pratītya samudeti hi duḥkham evaṃ
   saṃbhonti[14] tṛṣṇasalilena vivardhamānā
   mārgeṇa dharmasamatāya vipaśyamānā[15]
   atyantakṣīṇa kṣayadharmatayā niruddhāḥ[16]
5. saṃkalpakalpajanitena ayoniśena[17]
   bhavate avidya na pi saṃbhavako[18] 'sya kaścit[19]
   saṃskārahetu dadate na ca saṃkramo[20] 'sti
   vijñānam udbhavati saṃkramaṇaṃ pratītya
6. vijñāna[21] nāma tatha[22] rūpa samutthitāsti
   nāme ca rūpi samudenti ṣaḍ indriyāṇi
   ṣaḍi-indriyair[23] nipatito iti sparśa uktaḥ
   sparśena tisra anuvartati vedanā ca
7. yat kiṃci[24] vedayitu sarva sa[25] tṛṣṇa uktā
   tṛṣṇāta sarva upajāyati duḥkhaskandhaḥ

1. instr. of vācā. **2.** v.l. with Tib. for aṃśaiḥ; D. aṅga (2). **3.** acc. pl. **4.** (sadā.) **5.** v.l. (metr.) for °ni. **6.** m.c. for °ur. **7.** pron. a-dhuvaṃ (so Pali). **8.** m.c. for °khā. **9.** most mss., for °yā. Before this word, mss. and edd. (Lefm. in parens.) add api riktasvabhāva. **10.** jā- m.c. for ja-; -ḍā, §8.15. **11.** §3.35. **12.** Either §§6.6, 8.26; or jīva-m-, §4.59. **13.** 'Being boundless and withdrawn from (the range of human) sight, they are like the heavens.' **14.** subject, skandhā(ḥ). **15.** §37.20; 'being perceived, by the Way, as identical (sama-tā, instr., 'as sameness') with the conditions of being—'. **16.** 'Being completely destroyed, because of the nature of destruction they are (permanently) suppressed.' **17.** best mss., for °sena; D. ayoniśa, saṃkalpa. **18.** D. **19.** mss., for kaści. **20.** D. saṃskāra (1). **21.** loc., §8.11. **22.** so best ms. (metr.) for tatha ca. **23.** §19.24. **24.** mss. °cid. **25.** (sā.)

upadānato[26] bhavati sarva bhavapravṛttiḥ[27]
bhavapratyayā ca samudeti hi jātir asya
8. jātīnidāna jaravyādhidukhāni[28] bhonti
upapatti[29] naika vividhā bhavapañjalesmi[30]
em[31] eṣa sarva iti pratyayato jagasya
na ca ātma puṅgala[32] na samkramako 'sti kaścit[33]

26. m.c. for upā°. **27.** note that here -vapr- is a long syllable, but short in the next line; see Preface. **28.** m.c. for °duḥkhāni. **29.** n. pl. **30.** so, or °smin, most mss., for (Lefm. with 1 ms.) °smiṃ. **31.** v.l. (metr.) for evam. **32.** mss. (v.l. °lo), for °lu. **33.** mss. for kaści.

10

The Conversion of Śāriputra and Maudgalyāyana

Mahāvastu iii.56.6–67.7. Same story in Pali, AN. comm. i.155 ff., Dhp.comm. i.88 ff. Cf. Oldenberg, NGWGött. ph.-hist. Kl. 1912, 124 ff. The two stylistic types which O. distinguishes correspond, as he points out, on the whole to styles found in canonical and post-canonical Pali, respectively. But O.'s precise division between the two, in the text of Mv, seems to me more sharp than the facts warrant. Actually there is quite a bit of mixture in Mv. O.'s 'style B' (Pali canonical) really begins (as in Pali Vin.i.39.23 ff.; the preceding part is not in canonical Pali) not with Mv iii.60.1, as O. says, but with the appearance of Saṃjayin, iii.59.9. The introductory sentence in Mv is very close to Vin.: tena khalu puna samayena Rājagṛhe nagare Saṃjayī . . . parivrājako pañcaśataparivāro (see n. 32) parivrājakārāme prativasati = tena kho pana samayena Sañjayo paribbājako Rājagahe paṭivasati mahatiyā paribbājakaparisāya saddhiṃ aḍḍhateyyehi paribbājakasatehi. Then follows, in 59.10–19, a passage in 'style A' (Pali post-canonical), not found in Vin. Also 58.11, in the midst of an 'A' passage, clearly belongs to 'style B'. There is mixture of the two styles likewise after 63.2 (where O. makes the principal 'B' passage stop), and some parts can hardly be said to belong clearly to either 'A' or 'B'.

Rājagṛhasya ardhayojane Nālandagrāmakaṃ nāma grāmaṃ ṛddho ca sphīto ca samṛddho ca. tatra brāhmaṇo mahāśālo āḍhyo mahādhano mahābhogo prabhūtacitrasvāpateyo prabhūtadhanadhānyakośakoṣṭhāgāro prabhūtajātarūparajatavittopakaraṇo prabhūtahastyaśvagajagaveḍako prabhūtadāsīdāsakarmakarapauruṣeyo tasya dāni brāhmaṇamahāśālasya Śārī nāma brāhmaṇī bhāryā prāsādikā darśanīyā. tasya dāni Śārīye brāhmaṇīye putrā Dharmo Upadharmo Śatadharmo[1] Sahasradharmo Tiṣyo Upatiṣyo ete sapta putrāḥ ṣaṭ niviṣṭāḥ saptamo Upatiṣyo kanīyaso aniviṣṭako[2] gurukule vedamantrān adhīyati. Rājagṛhasya ardhayojanena Kolitagrāmakaṃ nāma grāmaṃ ṛddho ca sphīto ca samṛddho ca bahujanākīrṇo ca tatrāpi brāhmanamahāśālo ādhyo mahādhano mahābhogo prabhūtadhanadhānyakośakoṣṭhāgāro prabhūtajātarūparajatavittopakaraṇo prabhūtahastyasvagajagaveḍako prabhūtadāsīdāsakarmakarapauruṣeyo Maudgalyāyanagotreṇa[3] tasya Kolito nāma putro prāsādiko darśanīyo paṇḍito nipuṇo medhāvī. tatraiva gurukule vedamantrān adhīyati. tatraiva Upatiṣyo anyāni ca pañcamātrāṇi māṇavakaśatāni sarvaprathamam[4] Kolitena Upatiṣyeṇa ca vedamantrā adhītā anuyogo ca dinno ācāryasya ca ācāryaśuśrūṣā kṛtācāryadhano ca niryatito chattraṃ upanaha yaṣṭi kamandalukha sanasatam.[5] te dani ubhaye saṃmodika priyamaṇa abhīṣṭacitta.[6] Upatiṣyo pi Nalandagramato Kolitagramakaṃ gacchati Kolitasya darsanaye; Kolitagramato pi Kolito Nālandagramakaṃ gacchati Upatiṣyasya

1. v.l. Saradharmo; since only six names are given, may we guess that this, as the seventh, was found in the original before Śata°, one of the two being lost in each of the two mss.? 2. add to §22.39. 3. both mss. here, and one or both sometimes below, Mauṅga°; cf. puṃgala for pudgala, etc., §3.4; one or both mss. often read Saliputra for Sari°. 4. mss. sarve pr°. 5. mss. °ṭaṃ or °naṃ. 6. ? so Senart em.; but mss. abhıkṣṇaṃ citta, perh. error for tīkṣṇacittā, cf. tīkṣṇabuddhiko Mv i.232.2, in a similar context; t and bh are often confused

darśanāye. Rājagṛhe samasamaṃ Giriyagrasamājaṃ nāma parvaṃ vartati pañcānāṃ Tapodaśatānāṃ.[7] tatra dāni pañcahi Tapodaśatehi[7] pañca udyānaśatāni sarvāṇi pañca udyānaśatāni anekehi janasahasrehi bharitāni bhavanti darśanaśatāni vartanti saṃgītiśatāni vartanti aparāṇi ca naṭanartakaṛllamallapāṇisvarakāni ḍimbaravelambakakumbhatūṇikaśatāni.[8] te dāni brāhmaṇamahāśālaputro[9] Upatiṣyo ca Kolito ca caturghoṭehi[10] aśvarathehi yuktehi ceṭasahasrehi saṃparivārito[9] Giriyagrasamājaṃ prekṣakā gatā.[11] te dāni sattvā sakuśalamūlapuṇyā varaparīttagṛhā[12] kṛtādhikārā purimakeṣu samyaksaṃbuddheṣu pratyekabuddhaśrāvakamaheśākhyeṣu ca uptasatyādhikārā chinnabandhanā bhavyotpattikā āryadharmāṇāṃ ārāgaṇāye[13] caramabhavikāye hetupratyayacārikā sattvā. teṣām ubhayeṣāṃ tatra Giriyagrasamājaṃ prekṣantānāṃ paurāṇena kuśalamūlena hetum upadarśituṃ[14] Śāriputrasya taṃ janakāyaṃ dṛṣṭvā anityasaṃjñā utpannā imaṃ ettakaṃ janakāyam abhyantarā varṣaśatasya anityatāyā sarvaṃ na bhaviṣyati. Maudgalyāyanasyāpi janakāyasya tasya hasantānāṃ hakkāraṃ ca kṣipantānāṃ dantamālāni dṛṣṭvā asthisaṃjñā[15] utpannā. so dāni Maudgalyāyano Śāriputraṃ paridīnamukhavarṇaṃ[16] dṛṣṭvā āha:

1. manojña tantrīsvaragītaghoṣā
   tripuṣkarasphoṭikasāryamāṇāḥ[17]
   śruyanti[18] śabdā madhurā manojñā
   raṅge bhavāṃ kiṃ paridīnavaktro
2. hṛṣṭasya kālo na hi śocitasya
   ramitasya kālo aratiṃ jahāhi
   śṛṇohi saṃgītim ivāpsarāṇāṃ
   hṛṣṭā narān yasya manuṣyanandano[19]

atha khalu Śāriputro māṇavo Maudgalyāyanaṃ[19a] māṇavam etad uvāca:

3. ete viṣayasaṃraktā viṣayāś ca calācalā
   bhaveṣu ca dravyeṣu ca kā ratir bālabuddhināṃ
4. acirā[20] . . . sarve atṛptā kāmalolupāḥ
   vyastagātrā gamiṣyanti mṛtā bhasmaparāyaṇāḥ
5. etan[21] me saṃjñā na rameti Maudgalyāyana me 'ratī[22]
   vipulā pratibhā[23] caiva bhāvitā matiyo[24] ratiḥ

7. so read; D. Tapoda. **8.** so read, see D. velambaka, kumbhat°. **9.** mss. (§8.83), for (em.) °trā and °tā. **10.** so Senart em.; mss. cātu- or cātur- (to be kept?)-ghotehi or -ghātehi. **11.** em. Senart; mss. matā(ḥ). **12.** perh. 'habitations of excellent safeguards', D. 2 parītta. **13.** mss. (D. °na 1), for (em.) ārādha°. **14.** so, or °śayituṃ, mss., followed by a daṇḍa (which I delete); Senart em. °darśitaṃ; I understand, 'as they both were watching (gen. abs.) . . . in order to make clear . . .' **15.** D. **16.** misprinted °vaṇa. **17.** D. tripuṣkara; -sārya° Senart's em., mss. āryamāṇāḥ, āryanāmā. **18.** v.l. śrūyasti; §37.36. **19.** so one ms.; v.l. hṛṣṭā narāsya manuṣeṇa nandano; Senart em. hṛṣṭānano asmiṃ manuṣyanandane; hṛṣṭā narān acc. pl., additional object of śṛṇohi; yasya refers to Ś. himself, '(you) who have (here) a human paradise'. **19a.** mss. °na-, perh. to be kept. **20.** mss. (presumably = acirāt), for (em.) °raṃ; after this the mss. are cited as reading sunise (v.l. perhaps °sa), for which Senart em. munisā, which I do not understand. **21.** mss. (v.l. etaṃ), for (em., presumably m.c.; perhaps rightly) tan. **22.** so (without avagraha, as usually) mss., for (em., unmetr.) °yana na me ratī. **23.** Senart pratimā, with one ms.; the other, tho corrupt, seems to support my reading for the whole line; 'a great idea has been brought into being, a joy to the mind'. **24.** one ms. (corruptly supported by the other; the form should be added to §10.119), for (em.) matiyā.

6. samayo khu dharmacaraṇaṃ carituṃ narakinnarā[25]
surāsura sucari[26] pi kāmaratibhi[27] lolitāḥ[28]
7. atṛptamanasā gatā vilayaṃ . . .[29]

so dāṇi Śāriputramāṇavako taṃ Maudgalyāyanamāṇavakam āmantrayati: pravrajyā me abhipretā pravrajiṣyāmi. Maudgalyāyano āha: yaṃ bhavato iṣṭaṃ tan mamāpi iṣṭaṃ aham api pravrajiṣyāmi. Maudgalyāyano āha:

8. yā gatī bhavato iṣṭā asmākam api rocati
tvayā sārdhaṃ mṛtaṃ śreyaṃ na ca[30] jīvituṃ[31] tvayā vinā

tena khalu puna samayena Rājagṛhe nagare Saṃjayī[31a] nāma Vairaṭīputro parivrājako pañcaśataparivāro[32] parivrājakārāme prativasati. te dāni Śāriputramaudgalyāyanamāṇavakā parivrājakārāmaṃ gatvā Saṃjayisya[33] Vairaṭikaputrasya[34] parivrājakasya sakāśe parivrājakapravrajyāṃ pravrajitā. Śāriputreṇa saptāhapravrajitena sarvāṇi parivrājakaśāstrāṇi adhītāni Maudgalyāyanenāpy ardhamāsena sarvāṇi parivrājakaśāstrāṇi adhītāni. te dāni āhansuḥ: nāyaṃ dharmā[35] nairyāṇiko tatkarasya duḥkhakṣayāya saṃvartati gacchāma pṛthak-pṛthak svākhyātaṃ dharmavinayaṃ paryeṣyāmaḥ[36] yatra duḥkhasya antakriyā pravartati. yo maṃ[37] prathamataraṃ svākhyātaṃ dharmavinayaṃ[38] tena aparasya ākhyātavyaṃ; tataḥ sahitā āryadharmavinaye pravrajiṣyāmaḥ. te dāni tāni parivrājakaśāstrāṇi saṃgītīkṛtvā[39] Rājagṛhaṃ praviṣṭā anyena Śāriputro pravrājako anyena Maudgalyāyano.

tena khalu punaḥ samayena Bhagavān Antarāgirismiṃ Yaṣṭīvane udyāne yathābhiramyaṃ viharitvā Veṇuvanam anuprāpto tatraiva viharati Veṇuvane Kalandakanivāpe[40] mahatā bhikṣusaṃghena sārdham ardhatrayodaśabhir bhikṣuśataiḥ. atha khalv āyuṣmān Upaseno kalyasyaiva nivāsayitvā pātracīvaram ādāya Rājagṛhanagare piṇḍāya prakrame. adrākṣīt Sāriputraḥ parivrājako āyuṣmantaṃ Upasenaṃ dūrata evāgacchantaṃ prāsādikena abhikrāntapratikrāntena ālokitavilokitena saṃmiñjitaprasāritena saṃghāṭīpātracīvaradhāraṇena nāgo[41] viya kāritakāraṇo antargatehi indriyehi abahirgatena mānasena sthitena dharmatāprāptena yugamātraṃ prekṣamāṇo dṛṣṭvā ca punaḥ atiriva mānasaṃ prasīde: kalyāṇā punar iyaṃ pravrajitasya iryā.[42] yan nūnāhaṃ tasya upasaṃkrameyaṃ. atha khalu Śāriputro parivrājako yenāyuṣmān Upasenas tenopasaṃkramitvā āyuṣmatā Upasenena sārdhaṃ saṃmodanīyāṃ kathāṃ saṃmodayitvā sārāyaṇīyāṃ kathāṃ vyatisāretvā ekānte asthāsi ekāntasthitaḥ Śāriputraḥ parivrājako āyuṣmantam Upasenam

25. this line reads differently in Senart; my reading is supported by the mss. with very few variants; the line division also differs from S. 26. ? so one ms., v.l. sucali; Senart em. sucarā (hardly an improvement). 27. mss.; Senart °tībhir. 28. so Senart em.; mss. līlitāḥ, rīlitāḥ. 29. Here follow what Senart prints as four lines (58.20–59.3) of verse, which contain so many difficulties and corruptions that I omit them, in despair of constituting a plausible text; in 58.20 I do not even understand what Senart means to state as the readings of the mss. 30. omit (m.c.)? 31. mss., for (em.) °taṃ. 31a. Pali Saṃjaya; with this sentence begins the part of this story found in the Vin. (i.39.23 ff.). 32. v.l. (proved right in the sequel), for (ed. with 1 ms.) pañcāśa-pari°. 33. mss. °ṣya; §10.78. 34. mss., for (em.) Vairaṭikā°. 35. so (or v.l. °ma) mss., §8.24, for (em.) °mo. 36. §28.28; v.l. °ṣāmaḥ. 37. §20.59; cf. note 69. 38. app. lacuna in mss. (Senart). 39. mss. °tiṃ kṛtvā; D. saṃgīti, end. 40. mss. Kalaṇḍa°, Karaṇḍa°. 41. construction forgotten; nom. for acc. 42. mss. intend iryyā, for (em.) īryā.

etad uvāca: śāstā bhagavān utāho[42a] śrāvako. evam ukte āyuṣmān Upaseno Śāriputraṃ parivrājakam etad uvāca: śrāvako haṃ āyuṣmaṃ. evam ukte āyuṣmān[43] Śāriputro parivrājako āyuṣmantam Upasenam etad uvāca: kiṃvādī bhavato śāstā kimākhyāyī kathaṃ punaḥ śrāvakāṇāṃ dharmaṃ deśayati kevarūpā cāsya śrāvakeṣu ovādānuśāsanī bahulaṃ pravartanīyaṃ[43a] bhavati. evam ukte āyuṣmān Upaseno Śāriputraṃ parivrājakam etad uvāca: alpaśruto ham asmiṃ[44] āyuṣmantaṃ arthamātraṃ kalpeyaṃ.[44a] evam ukte Śāriputro parivrājako āyuṣmantam Upasenam etad uvāca:

9. arthena mahya kāriya
kiṃ bhoti vyañjanakaṃ subahukaṃ pi
arthaguruko hi vijño
arthenārthaṃ pi cikīrṣati[45]

10. vayam apy etasaṃbhāraṃ[46] vācāgranthaṃ nirarthakaṃ
agṛhya[47] bahubhi[48] divasaiḥ vañcitāḥ pūrvavañcitā[49]

evam ukte āyuṣmān Upaseno Śāriputraṃ parivrājakam etad uvāca: pratītyasamutpannāṃ dharmāṃ khalv āyuṣmān[50] śāstā upādāya pratiniḥsargaṃ vijñapeti. atha khalu Śāriputrasya parivrājakasya tatraiva pṛthivīpradeśe sthitasya virajaṃ vigatamalaṃ dharmeṣu dharmacakṣur viśuddhaṃ. atha khalu Śāriputro parivrājako prāptadharmo prahīṇadṛṣṭiḥ tīrṇakāṅkṣo vigatakathaṃkatho[51] ṛjucitto mṛducitto karmaṇīyacitto nirvāṇapravaṇo nirvāṇaprāgbhāro āyuṣmantam Upasenam etad uvāca: kahiṃ āyuṣmaṃ Upasena[52] śāstā viharati. evam ukte āyuṣmān Upaseno Śāriputraṃ parivrājakam etad avocat: śāstā Veṇuvane Kalandakanivāpe itthaṃ veditvāna[53] āyuṣmān Upaseno Rājagṛhe nagare piṇḍāya pravicare.

Śāriputro parivrājako yena Maudgalyāyanaḥ parivrājakas tenopasaṃkrame. adrākṣīt Maudgalyāyano parivrājako Śāriputraṃ parivrājakaṃ dūrato evāgacchantaṃ pariśuddhena mukhavarṇena padmavarṇena prasannehi[54] ca indriyehi dṛṣṭvā ca punaḥ Śāriputraṃ parivrājakam etad avocat: pariśuddho bhavato Śāriputrasya mukhavarṇo paryavadāto viprasannāni ca indriyāṇi. atha khalu te āyuṣmaṃ[55] Śāriputra amṛtam adhigataṃ amṛtagāmi[56] ca mārgo vikasitam iva padmaṃ śuddhaṃ . . .[57] vaktraṃ prasannam upaśāntāni[58] indri-

42a. mss. utā, utāhi; Senart em. uta. **43.** this title seems, at this point, a slip. **43a.** to pravartayati (BR s.v. 7; Pali āṇaṃ pavatteti). **44.** mss., 'in this subject', for (em.) asmi. **44a.** prob. to kalpayati: 'I might cause (you, Sir) to get an idea of . . .' **45.** mss. clearly intend an āryā vs; my text is a perfect āryā except that the 5th foot in the first line and the 7th in the second are amphibrachs; all readings accord with one or both mss. except that I delete two anusvāras, and except that in pāda c mss. read arthavijñe for vijño (vijñe may be right, §8.25), and in pāda d one ms. lacks pi, while the other has vi (and after it corruptly ciryati, omitting the syllable kī and with y for ṣ); vi may be an original Pktism. Senart vainly tries to make a śloka. **46.** mss. (v.l. °sadbhā°; eta = etat), for (em.) api ettasaṃ°. **47.** v.l., for ed. with one ms. āgṛhya. **48.** v.l., for ed. with 1 ms. °bhir; in this word two shorts replace a long. **49.** mss. pūrvaṃ (so Senart; unmetr.) vañcito. **50.** mss. (§18.81), for (em.) °man. **51.** mss. °thā, perh. correct (§8.24). **52.** mss. Śāriputra. **53.** mss. (v.l. °tvā; to vedayati), for (em.) vad°. **54.** mss., for (em.) vipras°, perh. right (the usual term, and used just below). **55.** v.l. °mān; note 50. **56.** mss. (§10.19; v.l. °minī, thinking of pratipad), for (em.) °mī. **57.** here Senart reads provṛtasya, with 1 ms. (which however has vastraṃ for vaktraṃ!), admitting that it yields nā good sense; the other ms. has vṛttajya, which surely conceals an ep. of vaktraṃ (or prior

yāṇi amṛtaṃ samāptaṃ[58a] kaccit[59] te yena te taṃ dviguṇaśubhacitraraśmijālaṃ[60] vistīrṇaṃ. evam ukte Śāriputro parivrājako Maudgalyāyanam etad uvāca: amṛtaṃ me āyuṣmān[50] Maudgalyāyana[61] adhigataṃ amṛtagāmī ca mārgo.

11. yo so śrūyati[62] śāstre
puṣpam ivodumbaraṃ[63] vane buddhā
utpadyanti śirighanā
utpanno lokapradyoto

evam ukte Maudgalyāyano parivrājako Śāriputraṃ parivrājakam etad avocat: kiṃvādī āyuṣmaṃ Śāriputra śāstā kimākhyāyī. evam ukte Śāriputro parivrājako Maudgalyāyanam etad avocat:

12. ye dharma[64] hetuprabhavā[65]
hetun teṣāṃ tathāgato āha
teṣāṃ ca yo nirodho[66]
evaṃvādī mahāśramaṇaḥ[67]

atha khalu Maudgalyāyanasya parivrājakasya tatraiva pṛthivīpradeśe sthitasya virajaṃ vigatamalaṃ dharmeṣu dharmacakṣu viśuddhaṃ. atha khalu Maudgalyāyano parivrājako prāptadharmo prahīṇadṛṣṭiḥ tīrṇakāṅkṣo vigatakathaṃkatho udagramānasacitto[67a] mṛducitto karmaṇīyacitto nirvāṇanimno nirvāṇapravaṇo nirvāṇaprāgbhāro. atha khalu Maudgalyāyano parivrājako Śāriputraṃ parivrājakam etad avocat: kahiṃ āyusmaṃ Śāriputra śāstā viharati. evam ukte Śāriputro parivrājako Maudgalyāyanaṃ parivrājakam etad avocat: eṣa āyuṣmaṃ śāstā Veṇuvane viharati Kalandakanivāpe mahatā bhikṣusaṃghena sārdham ardhatrayodaśabhir bhikṣuśataiḥ gacchāma Saṃjayim āmantretvā śāstāraṃ[68] Veṇuvane bhagavato santike brahmacaryaṃ cariṣyāmaḥ. evam ukte Maudgalyāyano parivrājako Śāriputraṃ parivrājakam etad uvāca: gaccha āyuṣmaṃ Śāriputra ito Veṇuvanaṃ kiṃ maṃ[69] Saṃjayinā kudṛṣṭinā dṛṣṭena. Śāriputro taṃ āha: na hi āyuṣmaṃ Maudgalyāyana so pi asmākaṃ Saṃjayi[69a] bahukaro[70] yaṃ āgamya vayaṃ gṛhāto bhiniṣkrāntā.

te dāni parivrājakārāmaṃ[71] gatvā Saṃjayiṃ āmantreti:[72] gacchāma Bhagavati mahāśramaṇe brahmacaryaṃ cariṣyāmaḥ. evam ukte Saṃjayi[72a] parivrājako Śāriputramaudgalyāyanāṃ parivrājakān etad uvāca: mā bhavanto śramaṇasya Gautamasya brahmacaryaṃ caratha. imāni mama pañca parivrājakaśatāni teṣāṃ bhavanto ardhaparihārā.[73] te āhaṃsuḥ: na hi gacchāma vayaṃ

part of a cpd. with it, or possibly a noun parallel to it). **58.** ? so Senart em. (good sense, but suspiciously remote), for mss. upagatāni. **58a.** mss. amṛtara-samāptaṃ (daṇḍa); em. Senart. **59.** my em., for mss. kaṃcin, kecin; Senart em. kvacit. **60.** Senart em., for mss. viguṇaśubhacitta°. **61.** Senart with v.l. Mahā-M°. **62.** so 1 ms., v.l. śru°; Senart em. śruyyati. **63.** mss., for (em.) iva ud°; prob. intends (iv') od° (D.). **64.** the vs = Pali Vin. i.40.28–29; ed. with mss. dharmā (v.l. °mo, preceded by yo; Pali also dhammā), unmetr. **65.** ed. with mss. °bhāvā (v.l. °vo; unmetr.); Pali °bhavā. **66.** ed. with mss. °dha, unmetr. **67.** mss. mahaśr° (possible, §3.34; Pali mahāsamaṇo). **67a.** mss. °manasaṃ-citto (v.l. -cinto); em. Senart. **68.** mss. śāstā, °trā; em. Senart. **69.** mss. māṃ; em. Senart; §20.59; cf. note 37. **69a.** mss., for (em.) °yī; before this, mss. yuṣmākaṃ, em. Senart. **70.** mss. (D.), for (em.) bahūpakaro. **71.** so Senart em.; mss. °kā kāmaṃ, or °ka-Śāliputraṃ kāmaṃ. **72.** mss. (§25.10), for (em.) °trenti. **72a.** v.l., for ed. with 1 ms. °yī. **73.** em. Senart (D. parihāra), for mss. arddha (acc. sg. ? §8.32) pariharet (2 pl. subject? cf. §25.12) or °hara (read °haratha ?).

Bhagavati mahāśramaṇe brahmacaryaṃ cariṣyāmaḥ. svākhyātā[74] Bhagavatā dharmavinayo vivṛtodayo chinne[75] pilotikā alam arthikasya[76] aprasādena. te dāni Saṃjayim āmantretvā parivrājakārāmāto yena Veṇuvanan tena praṇatā tāni pi pañca parivrājakaśatāni Śāriputramaudgalyāyanehi parivrājakehi sārdhaṃ gacchanti. Saṃjayī Śāriputra[77] āha: ekaṃ va[78] dāni duve hi[79] trīṇi vā atha vā catvāri atha sarve pañca śatā Upatiṣyo ādāya prakramati.

Bhagavāṃ Veṇuvane bhikṣuṇām āmantrayati: prajñapetha bhikṣavaḥ āsanāni ete Śāriputramaudgalyāyanā parivrājakā pañcaśataparivārā āgacchanti tathāgatasyāntike brahmacaryaṃ carituṃ, yo me bhaviṣyati śrāvakāṇām agrayugo bhadrayugo eko agro mahāprajñānāṃ aparo agro mahardhikānāṃ. adrākṣīc Chāriputro parivrājako Bhagavantaṃ dūrato evāgacchato[80] Veṇuvane mahatīye pariṣāye puraskṛtaḥ parivṛto dharman deśayantaṃ, ādau kalyāṇaṃ madhye kalyāṇaṃ paryavasāne kalyāṇaṃ svarthaṃ suvyañjanaṃ kevalaṃ[81] paripūrṇaṃ pariśuddhaṃ paryavadātaṃ brahmacaryaṃ saṃprakāśayituṃ,[82] dvātriṃśatīhi mahāpuruṣalakṣaṇehi samanvāgataṃ aśītihi[83] anuvyañjanehi upaśobhitaśarīraṃ aṣṭādaśehi āveṇikehi buddhadharmehi samanvāgataṃ daśahi tathāgatabalehi balavāñ caturhi[84] vaiśāradyehi viśārado[85] śāntendriyo śāntamānaso uttamadamaśamathapāramitāprāpto[86] nāgo yathā kāritakāraṇo antargatehi indriyehi abahirgatena mānasena susthitena dharmatāprāptena ṛjunā yugamātraṃ prekṣamāṇaḥ gupto nāgo jitendriyo hradam iva accho anāvilo viprasanno ratanayūpam iva abhyudgato suvarṇabimbam iva bhāsamānaṃ tejorāśim iva śriyā jvalamānaṃ dvitīyaṃ ādityam iva udayantam asecanakaṃ apratikūlaṃ darśanāye; mukto muktaparivāro dānto dāntaparivāro tīrṇo tīrṇaparivāro pāragato pāragataparivāro sthalagato sthalagataparivāro kṣemaprāpto kṣemaprāptaparivāraḥ śramaṇo śramaṇaparivāraḥ bāhitapāpo bāhitapāpaparivāro brāhmaṇo brāhmaṇaparivāraḥ śrotriyo śrotriyaparivāraḥ snātako snātakaparivāraḥ bāhitapāpadharmo bāhitapāpadharmaparivāraḥ.

atha khalu Śāriputramaudgalyāyanā parivrājakā pañcaśataparivārā yena Bhagavāṃs tenopasaṃkramitvā Bhagavataḥ pādau śirasā vanditvā ekānte asthāsuḥ.[87] ekamante sthito Śāriputro parivrājako Bhagavantam etad avocat:

13. uṣitāṃ[88] sāgarasalile
    uṣitāṃ[88] girigahanakānanavaneṣu
    anadarśanāt[89] tava[90] mune
    uṣitā sma ciraṃ kutīrtheṣu

74. mss. (§8.24), for (em.) °to. **75.** mss. (§8.80), for (em.) °nā. **76.** D. (2). **77.** mss. (loc., 'with reference to'), for (em.) °tram. **78.** so (= eva; v.l. ca) 1 ms., for (em.) na. **79.** so, duve hi, 1 ms. (v.l. te hi ive), for (em.) tehi duve vā; S. investigates, and gradually finds the truth: '(is it) one (hundred) only, now? evidently (hi) it's two! or three! or rather four! or all five hundred, that U. is departing with!' **80.** so v.l. (§18.33), for ed. with v.l. °cchantaṃ; it was, of course, Ś. who was arriving, attended by the 500 monks. **81.** mss., for (em.) kevala- (cpd. with pari°; so usually in corresp. formula in Pali, but kevalaṃ as separate word e.g. LV 3.8, with no v.l.). **82.** mss., for (em.) °yantaṃ. **83.** v.l. for °tīhi (misprinted āśī°). **84.** v.l. catuhi. **85.** v.l. °daṃ; but just before both mss. have balavāñ, and shortly after this both agree on noms.; the author has forgotten the construction. **86.** Senart em. damatha for dama; but -damaśamatha- occurs Mv ii.157.5 (Four Sights, Mv, near end). **87.** so, or asthātsuḥ, mss.; Senart em. °nsuḥ. **88.** mss. (§8.85), for (em.) °taṃ. **89.** my conjecture (see D. s.v. an-a-), for ed. with mss. (unmetr.) adarś°; preferable to ādarś° (m.c. for a-). **90.** mss., for (em.) tuhyaṃ,

14. kumārgā nivṛttā[91] pathe te[92] prasannā
mahāsārthavāhā[93] pratīrṇā[94]
ta[95] saṃsārakāntāram uttīrya dhīrāḥ
viraktā na rajyanti bhūyaḥ

atha khalu Śāriputramaudgalyāyanā parivrājakā Bhagavantam etad uvāca: pravrājetu māṃ Bhagavān upasaṃpādetu māṃ sugato. atha khalu Bhagavaṃ[96] Śāriputramaudgalyāyanapramukhāṃ pañca parivrājakaśatāṃ ehibhikṣukāye ābhāṣe: etha bhikṣavaḥ caratha tathāgate brahmacaryaṃ. teṣāṃ dāni Bhagavatā ehibhikṣukāye ābhāṣṭānāṃ yaṃ kiṃci parivrājakaliṅgaṃ parivrājakaguptiṃ[97] parivrājakadhvajaṃ parivrājakakalpaṃ, sarveṣāṃ samantarahitaṃ tricīvarā sānaṃ[98] prādurbhavensuḥ[99] sumbhakā ca pātrā prakṛtisvabhāvasaṃsthitakā ca keśā iryāpatho[100] sānaṃ saṃsthihe sayyathāpi nāma varṣaśatopasaṃpannānāṃ bhikṣūṇāṃ. eṣa āyuṣmantānāṃ Śāriputramaudgalyāyanapramukhānāṃ pañcānāṃ parivrājakaśatānāṃ[101] pravrajyā upasaṃpadā bhikṣubhāvo.

atha khalv āyuṣmāṃ Śāriputro Bhagavantam etad uvāca: kiṃ bhagavāṃ[102] prajñapento prajñapeti kiṃ tiṣṭhamānaṃ tiṣṭhati[103] kiṃ vibhajyamānaṃ bhajjati[104] kiṃ paṭisaṃdhentaṃ paṭisaṃdheti. evam ukte Bhagavān āyuṣmantaṃ Śāriputram etad avocat: catvāro Śāriputra dhātavo[104a] prajñapento[105] prajñapemi[106] catvāro dhātavaḥ tiṣṭhamānāvo[107] tiṣṭhanti catvāri dhātavo bhajyamānīyo[108] bhajyanti catvāro dhātavo[108a] paṭisaṃdhento[109] paṭisaṃdhenti. evam ukte āyuṣmāṃ Śāriputro Bhagavantam etad avocat: kiṃpratyayā[110] Bhagavaṃ tiṣṭhati kiṃpratyayā bhajyati kiṃpratyayā pratisandheti[111] kiṃpratyayā na pratisaṃdheti. evam ukte Bhagavān āyuṣmantaṃ Śāriputram etad avocat: kiṃpratyayā Śāriputra jāyatīti[112] avidyāpratyayā tṛṣṇāpratyayā karmapratyayā idaṃpratyayā Śāriputra jāyati. kiṃpratyayā Śāriputra tiṣṭhati. āyuḥkarmapratyayā āhārapratyayā[113] Śāriputra tiṣṭhati. kiṃpratyayā Śāriputra bhajyatīti. āyurkṣayā karmakṣayā āhāropacchedā[114] idaṃpratyayā Śāriputra bhajyati. kiṃpratyayā Śāriputra pratisaṃdheti. avidyāye aprahīṇatvāt tṛṣṇāye vaśīkṛtatvāt karmaṃ cāsya bhavati pakvaṃ[115] asti idaṃpratyayā

---

which leaves the meter impossible. **91.** em. Senart, for mss. °ga-nivṛtte (or °tta); nivṛtte is possible (§8.80). This vs seems to be an ardhasama relative of Bhujaṃgaprayāta, ISt. 8.380, which makes all four pādas alike by adding to each line another ⏑ — —. **92.** em. Senart, for mss. yathe (v.l. yathā) tava (this may be correct, two shorts replacing a long). **93.** my em., m.c. for ed. with mss. °ha. **94.** so Senart em., for mss. °rṇṇo or prakīrṇṇe; °rṇo or °rṇe are possible (§§8.80, 83). **95.** ? §8.34; Senart taṃ (unmetr.); at least one ms. omits the word; a short syllable is required. **96.** mss. (§18.76), for (em.) °vāṃ. **97.** so, or °tiḥ, mss., for (em.) °taṃ; D. gupti. **98.** §21.45; here mss. sanaṃ, below sā°. **99.** v.l. °vetsuḥ. **100.** mss. (D.; §3.38), for (em.) īr°. **101.** v.l. pañcānāṃ (om. pari°); ed. em. pañca-śatānāṃ. **102.** mss., for (em.) °vaṃ; D. prajñapayati (1). **103.** mss. omit, em. Senart. **104.** §2.8; v.l. bhajyati. **104a.** v.l. for °vaḥ; D. dhātu (1a). **105.** mss., for (em.) °ntā. **106.** v.l., for (em.) °penti (1 ms. °peti). **107.** §9.93. **108.** §11.3. **108a.** dhā° om. in ed. (and mss.?). **109.** mss., here n. pl., for (em.) °ntā. **110.** D.; n. pl., or possibly sg. (indefinite, 'one'), not abl. with Senart. **111.** Senart sandheti, om. prati (by error or misprint? no note); if mss. read so, em. seems necessary. **112.** so Senart em., for mss. °trā (possible, §8.27) jātīti (v.l. jānīti), which could also stand, as n. sg. of jāti plus iti; but perhaps the following jāyati justifies the em. **113.** mss. ākāra°; em. Senart. **114.** mss. °da; em. Senart. **115.** mss. pakṣaṃ or °ṣaḥ; em. Senart.

Śāriputra pratisaṃdheti. kiṃpratyayā Śāriputra na pratisaṃdhetīti. avidyāye prahīṇatvāt tṛṣṇāye vyantīkṛtatvāt karmañ cāsya[116] bhavati pakvaṃ[115] nāsti idaṃpratyayā Śāriputra na pratisaṃdheti. cakṣuś ca Śāriputra ādhyātmikam āyatanaṃ aparibhinnaṃ bhavati rūpo ca bāhiraṃ āyatanaṃ cakṣuṣaḥ ābhāsam[117] āgataṃ bhavati; manāpāsecanasamutthānakā[118] tasya tato-nidānaṃ[119] utpadyati prītisukhasaumanasyaṃ indriyāṇi ca prīṇayati. ye pi Śāriputra dharmā pratītya utpadyante[120] prītisukhasaumanasyaṃ indriyāṇi ca prīṇayanti, te pi Śāriputra dharmā jātā bhūtā saṃskṛtā cetasikā[121] pratītya samutpannā naivātmā naivātmanīyā śūnyā ātmena vā ātmanīyena vā. atha evam anyatra karma caiva karmavipākaṃ ca hetuṃ caiva hetusamutpannā ca dharmā evaṃ śrotaṃ[122] ghrāṇaṃ jihvā kāyo manaś ca Śāriputra ādhyātmikam āyatanaṃ aparibhinnaṃ bhavati dharmā[123] ca bāhiram āyatanaṃ manasya ābhāsam āgatā bhavanti, manāpāsecanasamutthānakā[124] tasya tato-nidānam utpadyati prītisaumanasyaṃ[125] indriyāṇi ca prīṇayati. ye Śāriputra dharmā pratītya utpadyanti[126] prītisukhasaumanasyaṃ indriyāṇi ca prīṇayanti, te Śāriputra dharmā jātā bhūtā saṃskṛtā cetasikā[127] pratītya samutpannā naivātmā naivātmanīyā śūnyā ātmena vā ātmanīyena vā. atha evaṃ anyatra karmaṃ caiva karmavipākaṃ ca hetuś caiva hetusamutpannā ca dharmāḥ.

idam avocad Bhagavān imasmiṃ punar vyākaraṇe bhāṣyamāṇe sarveṣāṃ Śāriputramaudgalyāyanapramukhānāṃ bhikṣuśatānāṃ anupādāyāśravebhyaś cittāni vimuktāni. āyuṣmāṃś ca Mahāmaudgalyāyano saptāhopasaṃpanno ṛddhibalatāṃ ṛddhivaśitāṃ ca anuprāpuṇe catvāri ca pratisaṃvidāni sākṣīkare[128] itthaṃ etaṃ śrūyati Dīrghanakhasya parivrājakasya sūtraṃ kṛtvā tasya Bhagavato vyākaraṇe bhāṣyamāṇe Dīrghanakhasya parivrājakasya tatraiva pṛthivīpradeśe sthitasya virajaṃ vigatamalaṃ dharmeṣu dharmacakṣur viśuddhaṃ, ṣaṣṭīnāṃ bhikṣūṇāṃ anupādāśravebhyaś cittāni vimuktāni.[128] āyuṣmāṃ ca Śāriputro ardhamāsaṃ pravrajito ardhamāsopasaṃpanno abhijñāvaśitāṃ prajñāpāramitāṃ ca anuprāpuṇe catvāri ca pratisaṃvidāni sākṣīkare. āyuṣmāṃ ca Maudgalyāyano acirapravrajito aciropasaṃpanno tisro vidyā sākṣīkare. divyaṃ cakṣuḥ pūrvanivāsaṃ āśravakṣayaṃ ittham etaṃ śrūyati;[129] Dīrghanakhasya parivrājakasya sūtraṃ kartavyaṃ.

116. mss. (v.l. karma cā°), correctly ('if action occurs for him, it does not ripen', i.e. even if he acts, he is not bound); Senart em. karmaṃ nāsya. **117.** D. **118.** so, or °nikā, mss. (D. samut°), for (em.) °nakaṃ. **119.** mss. niryātaṃ (q.v., D. 1) or niyatiṃ; em. Senart, with mss. below; D. nidāna 1. **120.** mss., for (em.) utpādayante. **121.** mss. vedayito (Senart °tā) or veṭayitā, see D. and n. 127. **122.** mss. (D.; v.l. °tuṃ), for (em.) śrotraṃ. **123.** here in sense 2 of D (object of manas; the statement is abbreviated, omitting the objects of the other four organs). **124.** em. as above, n. 118; mss. here corrupt. **125.** prob. read prītisukha-saum°. **126.** mss., for (em.) utpādayanti. **127.** mss. °sitā or °yitā; ed. em. vedayitā; see n. 121. **128.** between these points the mss. present this passage, which Senart omits, containing part of a (to me unknown) version of the 'sūtra of the mendicant Dīrghanakha' (q.v., D.); it resembles the end of the Pali version of the corresponding sūtra, MN i.501.6 ff. Cf. below. **129.** sc., in the sūtra cited above, and again in the next sentence; the words before ittham begin another quotation from it, to be recited here.

11

Death of the Buddha

Mahāparinirvāṇasūtra 41.1–18; Pali correspondent DN ii.154.1–156.34; the section on the four holy places occurs earlier in Pali, 140.17–141.11; Pali 154.17–22 contains instructions for dealing with the evil monk Channa, corresponding to an earlier passage of MPS, 29.13–15, on the monk Chanda. In the text here printed, I follow Waldschmidt (abbreviated W.) in enclosing in parentheses matter not found in his fragmentary mss. and supplied by him, on the basis of the Tibetan translation, largely supplemented by parallel BHS passages; that the suppletions are approximately correct seems certain. W. has Sanskritized the saṃdhi throughout; I have restored that of the mss. without note or comment. I have also followed the mss. in punctuation, or rather general lack of it; W. puts in many daṇḍas, with much justification, in view of the usual carelessness of most mss. in this regard. Grammatically, the text of MPS is more Sanskritized than many BHS texts, yet the mss. show not a few proofs (aside from saṃdhi and vocabulary) that it is BHS. Unfortunately W. has removed many of them in his edition; but in this particular selection the only case is āmantrayati, twice emended to °te (note 6).

syā(t kha)l(u yu)ṣ(m)ākaṃ bhikṣavo mamātyayāt parinirvṛto 'smākaṃ śāst(ā) n(ā)sty etarhy asmākaṃ (śāstā) niḥsaraṇa(ṃ) vā na khalv evaṃ draṣṭavyaṃ yo vo mayānvardhamāsaṃ p(r)ā(t)i(mokṣa uddeśitaḥ sa vo 'dyāgr)eṇa śās(t)ā sa ca v(o niḥsaraṇaṃ. yāni bhikṣavaḥ kṣudrānukṣudrāṇ)i (śi)kṣāpadā(ni tāni kālena saṃghaḥ samagrībhūtaḥ samuddharatu taṭ sukhasparśavihāratāyai[1]) saṃvartate. tasmā(t tarhi) cādyāgre(ṇa) navatara(keṇa) bhikṣuṇā vṛddhatarako (bhik)ṣu(r na nāmavādena na gotravā)de(na samudāca)ritavya anyatra bhadant(eti[2]) vā āyuṣmad vā tena ca vṛddhatarakeṇa bhikṣuṇā navatarako bhikṣur upasthāpayitavyaḥ upalāḍayitavyaḥ p(ā)tr(e)ṇa cīvareṇa śikyena (sarake)ṇa kāyabandhanena (p)r(akara)ṇikayā paripṛcchanikayā udd(e)ś(ena yogena) manasikāreṇa.

catvāra ime bhi(k)ṣ(avaḥ) pṛ(thivīp)r(adeśā śrāddhasya kulaputrasya kuladuhitur vā yāvajjīvam anusmaraṇīyā bhavanti katame catvā)raḥ iha Bhagavāṃ jātaḥ[3] iha Bha(gavān anuttarāṃ samyaksaṃbodhim abhisaṃbuddha iha Bhagavatā triparivartaṃ dvādaśākāraṃ dhārmyaṃ dharmacakraṃ) pravartitam iha Bhagavān anupadhiśeṣe nirvā(ṇadhātau parinirvṛtaḥ. āgamiṣyanti bhikṣavo mamātyayāc caityaparicārakāś caityavandakās ta evaṃ va)kṣ(ya)nti: iha Bhagav(ā)ṃ (jātaḥ iha Bhagavān anuttarāṃ samyaksaṃbodhim abhisaṃbuddhaḥ iha Bhagavatā triparivartaṃ dvādaśākāraṃ dhārmyaṃ dharmacakraṃ pravartitam iha Bhagavān anupadhiśeṣe nirvāṇadhātau parinirvṛ)taḥ atrāntarā ye kecit prasannacittā mamāntike kālaṃ kariṣyanti te sarve[4] svargopagā ye (kecit sopadhiśeṣāḥ).

1. W. °hārāya, but cf. his note; °ra-tā seems to be the regular term. 2. ? so W.; ms. bhadanta, then lacuna of one syllable; I suspect the restoration because it is inconsistent with the parallel āyuṣmad (without iti) vā. 3. so one ms.; v.l. jāta. 4. parallel below (see next note) transposes sarve te.

apar(aṃ) catvāraḥ pṛthivīpradeśā śrāddhasya kulaputrasy(a ku)laduhitur vā yāvajjīvam abhigamanīyā bhavanti katame catvāra iha (*etc.*)[5]

tatra Bhagavāṃ bhikṣūn āman(t)rayati[6] pṛcchata bhikṣavo mā vidhārayata[7] yasya syāt kāṅkṣā vā vimatir vā buddhe vā dharme vā saṃghe vā duḥkhe vā samudaye vā nirodhe vā mārge vā sa praśnenāhaṃ vyākaraṇena. syāt khalu yuṣmākam evaṃ kathaṃ vayaṃ śāstāram āsādyāsādya pratimantrayiṣyāmo na khalv evaṃ draṣṭavyaṃ bhik(ṣu)r (bh)ikṣo(r āroca)yatā(ṃ) sahāyakaḥ sahāyakasya sa praśnenāhaṃ vyākaraṇena. athāyuṣmān Ānando Bhagavantam idam avocat yathā khalv ahaṃ bhadanta Bh(agavato bhāṣitasyārtha)m (ā)j(ān)āmi nāsti kaścid asyāṃ pariṣadi ekabhikṣur api yasya syāt kāṅkṣā vā vimatir vā pūrvavad yāvaṃ[8] mārge vā sādhu sādhv Ānanda prasādena tvam evaṃ vadasi ta(thāgatasya tv an)uttare jñānadarśanaṃ pravartate: yāvantaḥ khalu bhikṣava asyāṃ pariṣadi saṃniṣaṇṇās saṃnipatitā nāsti kaścid atra ekabhikṣur api y(asya) syāt kāṅkṣā vā vimatir vā pūrvavad yāvaṃ[8] mārge vā api tu karaṇīyam etat tathāgatena yathāpi tat[9] paścimāṃ janatām anukampamānaḥ.[10]

atha Bhagav(ān svakāyād[11] uttarāsaṅgam ekān)te vivṛtya bhikṣūn āmantrayati[6] avalokayata bhikṣavas tathāgatasya kāyaṃ vyavalokayata bhikṣavas tathāgatasya kāyaṃ tat kasmād dhetor durlabhadarśanā y(asmāt tathāgatā) arhantaḥ samyaksaṃbuddhās tadyathā udumbare puṣpaṃ. aṅga bhikṣavas tūṣṇīṃ bhavata vyayadharmāḥ sarvasaṃskārā iyaṃ tatra tathāgatasya paścimā (vācā).

(tad) uktvā Bhagavāṃ prathamaṃ dhyānaṃ samāpannaḥ prathamād dhyānād vyutth(āya dvitīyaṃ dhyānaṃ samāpannaḥ dvitīyād dhyānād vyutthāya tṛtīyaṃ dhyānaṃ samāpannaḥ tṛtīyād dhyānād vyutthāya caturthaṃ dhyānaṃ samāpannaḥ caturthād dhyānād vyutthāyākāśānantyāyatanaṃ sam)āpannaḥ ā(kāśānantyāyatanād vyutthāya vijñānānantyāyatanaṃ samāpannaḥ vijñānānantyāyatanād vyutthāyākiñcanyāyatanaṃ) samāpann(aḥ ā)k(i)ñcanyāyatan(ād vyutthāya naivasaṃ)jñ(ā)nāsa(ṃ)jñ(āyatanaṃ samāpannaḥ naivasaṃjñānāsaṃjñāyatanād vyutthāya saṃjñāve)dayitanirodha(ṃ) s(amāpannaḥ.)

(a)thāyuṣmān (Ānanda ā)yuṣmant(am Aniruddham idam avocat parinirvṛta āyuṣmann Aniruddha Bhagavān naivam āyuṣmann Ānanda saṃjñāvedayitanirodhaṃ sa)māpan(no buddho bhagavān saṃmukhaṃ ma āyuṣmann Aniruddha[11a] Bhagavato 'ntikāc chrutaṃ saṃmukham udgṛhītaṃ caturthaṃ dhyānaṃ

5. repetition, as above, except as in n. 4; lacunae above are largely filled from this place, confirming Tib. **6.** so mss., here and regularly; W. always em. °te. **7.** BR s.v. dhar with vi, 2; Tib. dgag pa, 'stop (trans.), hinder'. **8.** another ms. seems to have repeated the phrase in full. **9.** D. yathāpi (1). **10.** 'showing compassion to people of later times' (W., *Ueberlieferung vom Lebensende des Buddha*, 246 f. and n. 57). **11.** so Tib.; in at least one of the two mss. the lacuna is too short to have contained this word. The probable original significance of this action, and of the Buddha's last words (which are paralleled, but unmotivated, in Pali), was, in my opinion, successfully made clear by W. (see reference in his note); Buddha reveals his own body, with its signs of old age, to impress on the monks the transitoriness of all conditioned states. It is true that this is not clearly stated in any version; after the Buddha had become a supernatural being to his followers, the original motivation became repugnant, and was replaced by a reference to the rare chance of beholding a Buddha; this seems to me (with W.) clearly secondary. **11a.** so clearly Tib.; and Chin. makes Ānanda the speaker of this sentence, which is not in

samāpya cakṣuṣmanta āniñjyāṃ[12] śāntiṃ samāpannā buddhā Bhagavantaḥ pa)r(i)n(i)rvānti.

atha Bhagav(ān saṃjñāvedayitanirodhād vyutthāya naivasaṃjñānāsaṃjñāyatanaṃ samāpannaḥ naiva)sa(ṃ)jñ(ā)n(āsaṃj)ñ(āyatanād vyutthāyākiñcanyāyatanaṃ samāpannaḥ ākiñcanyāyatanād vyutthāya vijñānānantyāyatanaṃ samāpannaḥ vijñānānanty)āyatanād vyutth(āyākāśānantyāyatanaṃ samāpannaḥ ākāśānantyāyatanād vyutthāya caturthaṃ dhyānaṃ samāpannaḥ caturthād dhyānād vyutthāya tṛtīyaṃ dhyā)naṃ samā(pannaḥ tṛtīyād dhyānād vyutthāya dvitīyaṃ dhyānaṃ samāpannaḥ dvitīyād dhyānād vyutthāya prathamaṃ dhyānaṃ samāpannaḥ prathamād dhyānād vyutthāya dvitīyaṃ dhyānaṃ samāpannaḥ d)v(i)t(ī)yā(d) dhy(ā)n(ād vyutthāya tṛtīyaṃ dhyānaṃ samāpannaḥ tṛtīyād dhyānād vyutthāya caturthaṃ dhyānaṃ samāpannaḥ caturthaṃ dhyānaṃ samāpya cakṣuṣmān āniñjyāṃ[12] śāntiṃ) samāpanno bud(dh)o (Bhagavān parinirvṛtaḥ).

---

the Pali. **12.** read so, or ānijyāṃ with Av ii.199.5, for W. āniñjyaṃ; the form is an adj. with śāntiṃ.

12

Edifying Stanzas from the Udānavarga

See §§1.42, 43. A = Chakravarti's oldest and best (fragmentary) ms.; B = any of his later (also fragmentary) mss.; Ch. = Chakravarti; P = Pali versions of the stanzas (references in Ch.). All mss. seem to be from Central Asia. Text follows A, except as noted, when it exists; lacunae in A are indicated by parentheses, which follow B unless the contrary is stated. Otherwise B's readings are cited only sporadically.

iv.1 (apramādo)'mṛtapadaṃ pramādo[1] mṛtyun(aḥ) padaṃ
apramattā na mriyante ye pra(mattā yathā mṛtāḥ[2])

1. A °da. **2.** ? so P (matā); B sadā for yathā; Dutreuil yadha.

iv.18 evaṃ dharmād apakramya adharmam anuvartiya[1]
bālo mṛtyuvaśaṃ[2] prāpta[3] ak(ṣacchinno va dhyāyate[4])

1. A °yaḥ; B °vartya ca; P anuvattiya. **2.** B, P -mukhaṃ for -vaśaṃ. **3.** so A, B; P patto. **4.** P (SN) akkhacchinno va jhāyati; B chinnākṣa iva śocate (P Miln. 67.2 also socati; but in iv.17 A dhyāyate, like P jhāyati, against B śocate).

vii.5 kāyena kuśalaṃ kuryād (vacasā kuśalaṃ) bahuṃ[1]
manasā kuśalaṃ kuryād apramāṇaṃ niropadhiṃ[2]

1. A bahūṃ (§12.30, end); B bahu. **2.** B niraup°; D.

vii.6 kāyena kuśalaṃ kṛtvā vācā hi atha (mānasā[1])
(iha cātha) paratraṃ ca[2] sukhaṃ so adhigacchati

1. so I would venture to read (m.c. for manasā); see §3.11; Ch. suggests cetasā, but manas is the regular word in this connection, and B's altered reading, vacasā manasāpi ca, supports it. The vs is unknown elsewhere. **2.** B paratrāsau; D.

vii.7 kāye(na saṃvaraḥ sādhu) sādhu vācā hi[1] saṃvaraḥ
manasā saṃvaraḥ sādhu sādhu sarvatra saṃvaraḥ
sarvatra saṃvṛto bhikṣuḥ (sarvaduḥkhā pramucyate)

1. B ca; even A here has Sanskritized and patched the meter, independently of B, be it noted; both go back to P vācāya.

vii.10 ahinsakā vai munayo nityaṃ vācāya saṃvṛtaḥ[1]
te yānti acyutasthānaṃ[2] yatra gatvā na śo(cati)

1. cf. §8.83, but perhaps read °tāḥ; B vācā susaṃvṛtāḥ. **2.** B acyutaṃ sth°.

vii.12 vācānurakṣī manasā susaṃvṛtaḥ
kāyena cā ākuśalaṃ[1] na kuryāt
etais[2] trayaṃ[3] karmapatha(ṃ viśodhayed[4]
ārādhaye)n mārgam ṛṣipraveditaṃ[5]

1. m.c., §§3.6, 11, for A ca (co also possible) aku°; P ca akus°; B caivāku° (patchword). **2.** A etes; B etaṃ; P ete (perhaps read so? but instr. seems possible). **3.** B śubhaṃ; P tayo. **4.** B °yen n-; P visodhaye. **5.** so B; A °vediti.

viii.1 abhūtavādīr[1] narakām[2] upaiti
yaś cāpi kṛtvā na karoti āha
ubhāv ato[3] pretya samau bhavanti
nihīna(karmā[4] manujā paratra)

1. cf. §10.32; here a masc. in-stem; B °dī. 2. = °kān (so B); §8.90. 3. A atau (Ch. lire etau', unmetr.); B ubhau hi tau; P ubho pi te; both these, and the ms. reading of A seem to be secondary attractions to the adjoining dual forms. 4. B vihīnadharmā; P nihīnakammā.

viii.2 (puruṣa)sya hi jātasya kuṭhārī[1] jāyate mukhe
yā(ya chindati)[2] ātmānaṃ vācā durbhāṣitaṃ (vadan[3])

1. A °ri (metr. bad). 2. so P; B tayā chinatti (hātmānaṃ). 3. P bhaṇaṃ.

viii.12 tām eva vācaṃ bhāṣeya[1] yāyātmānaṃ na tāpayet
parañ[2] ca na vihinseya[1] sā vai vācā su(bhāṣitā[3])

1. B °eta. 2. B parāṃś. 3. B (one ms.) vāk sādhu bhā°.

x.5 śraddhāya tarate oghaṃ apramādena ārṇavaṃ[1]
vīryeṇa duḥkha(m atyeti[2] prajñāya[3] pariśudhyate)

1. D.; B cārṇ°. 2. P dukkham acceti; B tyajate duḥkhaṃ. 3. B prajñayā; P paññāya.

x.15 dhīraṃ tu (?) prājñaṃ[1] seveyā[2] hradaṃ vā udakārthikaḥ[3]
acchodakaṃ viprasannaṃ śītībhūtam[4] anāvilaṃ

1. so B; A prajñāṃ. 2. B °eta. 3. B yadvaj jalārthikaḥ. 4. or śīti°; A śītirbh°; D.

xi.1 chindhi srotaḥ parākrāmya[1] kāmāṃ praṇuda brāhmaṇa
nāprahāya[2] muniḥ kāmān ekatvam adhigacchati

1. so both A and B; §35.12. 2. so B; A napprahāya = Pali nappahāya (and perh. to be kept; §§4.21, 22).

xi.3 (yat ki)ñcic chithilāṃ[1] karmaṃ saṃkiliṣṭā[1] va[2] yat[3] tapaḥ
apariśuddhaṃ brahmacaryaṃ[4] na tad bhavati[5] sukhāvahā[1]

1. perh. em. -aṃ, but cf. §8.38. 2. m.c. for vā; B saṃkliṣṭaṃ vāpi (patchword) 3. A yas. 4. A brāhma°. 5. pron. bhoti.

xi.5 śaro yathā sugṛhīto na hastam avakartati[1]
śrāmaṇyaṃ suparāmṛṣṭaṃ nirvāṇasyaiva santike[2]

1. A avā°; §28.40; B apakṛntati. 2. B sāntike.

xi.7 kathañ careya śrāmaṇye cittañ ca na nivārayet
pade-pade viṣīdantaḥ saṃkalpānaṃ[1] vaśaṃ gatāḥ[2]

1. §8.121; B °nāṃ. 2. B also gatā.

xi.9 kā(ṣ)ā(ya)kaṇṭhā bahavaḥ pāpadharmā asaṃyatāḥ
pāpaḥ pāpehi karmehi[1] ito gacchati du(rgatiṃ)

1. B (hi) karmabhiḥ pāpair.

xi.10 (yo sāv a)tyantaduḥśīlaḥ sālaṃ vā[1] māluv' otata[2]
kar(oty asau tathā)tmānaṃ yathainaṃ dviṣa-d[3]-icchati

1. m.c. for va = iva. 2. prob. read °taṃ; §1.43. 3. §§4.64; 18.78.

xi.11 sthero na tāvatā bhavati yāvatā palitaṃ śiraḥ
paripakvaṃ va(yas tasya mohajīrṇo) ti[1] ucyate

1. B mohajīrṇaḥ sa; P moghajiṇṇo ti.

xi.12 yas tu puṇyañ ca pāpañ ca vāhetvā brahmacaryavān[1]
viśreṇīkṛtvā ca(rat)i (sa) vai sthero ti ucyate

1. A brāhmacār°.

xii.2 ūddhataṃ[1] raja vātena yathā meghena śāmyate
evaṃ śāmyante saṃkalpā yadā prajñāya[2] paśyati

1. D. (read ud°?). 2. m.c., for A, B prajñayā; P paññāya; in B change in order rectifies meter.

xii.4 mārgānāṣṭāṅgikaḥ[1] śreṣṭhaḥ satyānaṃ[1] cature[1] padāḥ
virāgaḥ śreṣṭha dharmāṇāṃ dvipadān(āṃ ca cakṣumāṃ[2])

1. §1.43. 2. Pali cakkhumā; B cakṣuṣmāṃ dvipadeṣu ca; perh. read dvipadānaṃ.

xii.5 (sarve saṃskā)r' anityeti[1] yadā prajñāya[2] paśyati
atha nirvindate[3] duḥkhād eṣa mārgo viśuddhaye

1. P sabbe saṃkhāra aniccā ti; B anityā sarvasaṃskārā. 2. §1.43. 3. B nirvidyate; P nibbindati.

xii.6 sarvam anitya duḥkhāntaṃ, and 7 sarva[ṃ?] duḥkham anātmaṃ
hi (the rest as in 5)

xv.8 jāgaryam[1] anuyuktasya ahorātrānuśikṣiṇaḥ
amṛtam anuyuktasya astaṃgacchanti āsravāḥ

1. D.

xvi.2 vyāyamet tāva puruṣo yāvad (artha)sya niṣ(padaḥ[1])
paśyāmy ahaṃ tathātmānaṃ yathā icchet tathā bhavet

1. D. niṣpad.

xvi.4 alajjitavye lajjanti lajjitavye alajjitā
abhaye bhayadarśāvī[1] bhaye cābhayadarśi(naḥ)
(mithyādṛṣṭisamādānāt) sattvā gacchanti durgatiṃ

1. n. pl. (§10.181); B °darśino, and even P °dassino (secondary to BHS).

xvi.15 śuddhasya hi sadā phalgu śuddhasya posathaṃ sadā
(śuddhasya śucikarmasya[1] ni)ty(aṃ) saṃpadyate v(ra)t(aṃ)

1. P suddhassa sucikammassa.

xvi.23 nagaraṃ asthiprākāraṃ māṃsaśoṇitalepanaṃ
yatra rāgaś ca doṣaś[1] ca mānamrakṣaḥ pragāhati

1. D.; or dveṣaś; A deṣaś (not in B or P).

xvii.3 (acaritvā[1]) brahmacaryam[2] alabdhvā yauvane dhanam
jīrṇakrauñcā[3] va dhyāyante alpamatsye va palvare[4]

1. P. 2. A brāhmacār°. 3. A °kraujaṃ; possibly (with Ch.) cf. §2.28, but prob. mere corruption. 4. D., and §2.49.

xvii.5, 6 nālpamanyeta pāpasya (6 puṇyasya) na me tam āgamiṣya(ti)
(u)dabindunipātena mahākumbho va pūryati
pūryati bālo pāpena (6 dhīraḥ puṇyena) stokastokaṃ pi ācinaṃ[1]

1. so with P (Dhp. 121, where the var. °ṇaṃ is negligible; wrongly PTSD); D. ācinati; A (unmetr.) ācīnaṃ.

xvii.9 (kiṃ ku)ryād[1] udapānena āpaś ca sarvato bhavet
tṛṣṇāya mūlaṃ chittvā hi (kasya paryeṣaṇāṃ caret[1])

1. with Divy 56.13 (and P); not in B.

xviii.4 yāvad[1] vanatā na chidyate
anumātram api[2] narasya jñātiṣu
pratibaddhamano (va[3]) tāva (so[3])
vatso[4] kṣīrapako va mātar(aṃ)

Vaitālīya meter. 1. first syllable long, for two shorts. 2. P pi, but text may stand; -tram a- two shorts for a long. 3. P (metr.); B sa tatra vai. 4. A vatsa (unmetr.); P vaccho; first syllable, as n. 1.

xviii.14 (cf. 15) puṣpāṇy eva[1] pracinvantaṃ vyā(saktama)nasaṃ[2] naraṃ
suptaṃ g(rāma)ṃ mahaugho va mṛtyur ādāya gacchati

1. A adds hi (unmetr.); B text. 2. B °ktaḥ māna°; P vyāsattamanasaṃ (metr. better).

xix.1 aśvo yathā bhadra kaśābhi spṛ(ṣṭo[1])
(ātāpinaḥ saṃvijitāś carantaḥ[2])
(śra)ddhāya śīlena ca vīryavāṃs[3] tathā
samādhinā dharmaviniścayena
saṃpannavidyācaraṇāṃ[4] pratismṛtāṃ[4]
prahāsate[5] sarvabhavāni tādṛśāḥ[6]

1. my conjecture. 2. with xix.2 b (°jitaś, error). 3. n. pl., §18.88. 4. n. pl., §8.85. 5. §31.27; pl. subject, §25.18. 6. D.

xix.3 (yasyendriyāṇi[1]) samatāṅ[2] gatāni[3]
aśvo yathā sārathinā sudāntaḥ
prahīnakrodhasya-m-anāsravasya[4]
devāpi tasyā[5] spṛhayanti tādṛnaḥ

1. P yass' ind°. 2. Skt. samatāṃ (not śama° with Ch.). 3. P, for A gatādi. 4. §4.59. 5. m.c. (§§3.7, 8.58) for tasya, Pali tassa; B tasmai (with lacuna incl. tādṛnaḥ, on which see D.)

xix.7 yo aśvavaraṃ damayed ājāneyaṃ[1] va saindhavaṃ
kuñjaraṃ vā mahānāgaṃ ātmadāntas tato varaḥ

1. A °yan.

xix.12 atmānam[1] eva damayed aśva[2] bhadraṃ.va sārathiḥ
atmā[1] hi ātmanā[3] dāntaḥ smṛtimaṃ duḥkhapāraga

1. §3.35. 2. A āśva (?); read with B aśvaṃ? 3. A °naṃ.

xx.1 krodhaṃ jahed viprajaheya mānaṃ
saṃyojanaṃ sa(rvam atikrameya[1])
(taṃ nāmarūpa)smin asajjamānam
akiñcanaṃ nānupatanti saṅgāḥ[2]

1. B °meta; P atikkameyya. 2. A saṅgaḥ (misprint?); lacuna in B; P dukkhā.

xx.2 krodhaṃ jahed utpatitaṃ rāga[1] jātaṃ nivārayet
avidyā prajahe dhīraḥ satyābhisamayo[2] sukhaṃ

1. °gaṃ (P)? 2. A, B °yena (unmetr.); P °yo sukho.

xx.3 krodhaṃ hi(tvā sukhaṃ śete krodhaṃ hitvā na śocati)
krodhasya viṣamūla(sya madhurāgra)sya brāhmaṇaḥ[1]
vadham āryā praśaṃsati[2] taṃ nihatvā (na) śo(cati)

1. P °ṇa; B bhikṣavaḥ. 2. B, P °anti (better meter, perh. read so; in that case, however, read brāhmaṇa with P and understand āryā as n. pl. as B, P (not voc.).

xxi.4 (na me ācārya)k(o)[1] asti sadṛśo me na vidyate
eko smi loke saṃbuddhaḥ śītībhūto[2] smi nirvṛtaḥ

1. ? so the remnants of A suggest; no precise parallel; closest is Pali Vin. i.8.21 na me ācariyo atthi; Mv iii.326.11 na me ācāryo asti (read sti) kaścit; B, much like LV 405.20, ācāryo me na vai (LV na hi me) kaścit. 2. or śiti°; A śītir°; P sīti°; LV 405.21 śītī°, v.l. śīti°; pāda d different in B and Mv (where note readings of mss.).

13

The Lost Heir

Saddharmapuṇḍarīka, Chapter IV: KN 100–120. In the notes to the two selections from SP, I cite all changes (except a few corrections of simple and obvious misprints) from KN = Kern-Nanjio's ed.; WT refers to Wogihara-Tsuchida's ed.; O = readings from fragments of the Kashgar recension, cited in KN's critical notes; K′ = a (Nepalese) ms. cited by WT (of which I was able to consult a photostat, but only after my work was completed, so that I have few independent citations; WT did not make full use of it; it is carelessly written, especially in that it frequently omits the stroke above the line for e or o, so that a often means e, and ā means o). In general, O readings are more non-Sanskritic, and therefore closer to the original, than the other (Nep.) mss.; but see §1.40. For this reason, other things being equal, I regularly adopt them. But it often happens that readings cited by KN from O are irreconcilable (because incompletely cited), in meter or sense, with the context; I have had to ignore these. It is obvious that KN undertook to Sanskritize the saṃdhi thruout. In other respects, too, their ed. and critical notes are extremely unreliable (§1.74). A careful collation of the mss. would certainly make possible a much better edition than what follows, which is, nevertheless, I think I can say, at least an improvement over existing editions.

atha khalv āyuṣmān Subhūtir āyuṣmāṃś ca Mahākātyāyana āyuṣmāṃś ca Mahākāśyapa āyuṣmāṃś ca Mahāmaudgalyāyana imam evaṃrūpam aśrutapūrvaṃ dharmaṃ śrutvā Bhagavato 'ntikāt saṃmukham āyuṣmataś ca Śāriputrasya vyākaraṇaṃ śrutvānuttarāyāṃ samyaksaṃbodhāv āścaryaprāptā adbhutaprāptā audbilyaprāptās tasyāṃ velāyām utthāyāsanebhyo yena Bhagavāṃs tenopasaṃkramī upasaṃkramitvā[1] ekāṃsam uttarāsaṅgāni[2] kṛtvā dakṣiṇāni[2] jānumaṇḍalāni[2] pṛthivyāṃ pratiṣṭhāpya yena Bhagavāṃs tenāñjaliṃ praṇāmayitvā Bhagavantam abhimukham ullokayamānā avanatakāyā vinatakāyāḥ[3] praṇatakāyās tasyāṃ velāyāṃ Bhagavantam etad avocan: vayaṃ hi Bhagavan jīrṇā vṛddhā mahallakā asmin bhikṣusaṃghe sthavirasaṃmatā jarājīrṇībhūtā nirvāṇaprāptāḥ sma iti Bhagavan nirudyāmā[4] anuttarāyāṃ samyaksaṃbodhāv apratibalāḥ smāprativīryārambhāḥ sma. yadāpi Bhagavān dharmaṃ deśayati ciraṃniṣaṇṇaś ca Bhagavān bhavati vayaṃ ca tasyāṃ dharmadeśanāyāṃ pratyupasthitā bhavāmaḥ, tadāpy asmākaṃ Bhagavan ciraṃniṣaṇṇānāṃ Bhagavantaṃ ciraṃparyupāsitānām aṅgapratyaṅgāni duḥkhanti saṃdhivisaṃdhayaś ca duḥkhanti. tato vayaṃ Bhagavan Bhagavato dharmaṃ deśayamānasya śūnyatānimittāpraṇihitaṃ sarvaṃ manasikaroma[5] nāsmābhir eṣu buddhadharmeṣu buddhakṣetravyūheṣu vā bodhisattvavikrīḍiteṣu vā tathāgatavikrīḍiteṣu vā spṛhotpāditā. tat kasya hetoḥ. yac cāsmād Bhagavaṃs traidhātukān nirdhāvitā nirvāṇasaṃjñino vayaṃ ca jarābhibhūtā.[6] tato Bhagavann asmābhir apy anye bodhisattvā avavaditā abhūvann anut-

1. O, for tenopasaṃkrāmann upasaṃkramya(ikāṃsam). O cited °kramī pasaṃkr°, which perhaps should be adopted (§4.16), tho this saṃdhi is rare in prose. 2. mss.; edd. °aṃ for °āni. 3. v.l., incl. O, with Tib. (rnam par), for abhinata°. 4. O cited as °yāmaḥ; D. udyāma; for °udyamā, scantily supported; most mss. nirutsukā. 5. O, for āviṣkurmo. 6. O, for jarājīrṇāḥ.

tarāyāṃ samyaksaṃbodhāv anuśiṣṭāś ca na ca Bhagavaṃs tatrāsmābhir ekam api spṛhācittam utpāditam abhūt. te vayaṃ Bhagavann etarhi Bhagavato 'ntikāc chrāvakāṇām api vyākaraṇam anuttarāyāṃ samyaksaṃbodhau bhavatīti śrutvāścaryādbhutaprāptā mahālābhaprāptāḥ sma Bhagavann adya sahasaivemam evaṃrūpam aśrutapūrvaṃ tathāgataghoṣaṃ śrutvā mahāratnapratilabdhāś cāsma[7] Bhagavann aprameyaratnapratilabdhāś cāsma.[7] Bhagavann amārgitam aparyeṣitam[8] acintitam aprārthitaṃ cāsmābhir Bhagavann idam evaṃrūpaṃ mahāratnaṃ pratilabdham. pratibhāti no Bhagavan pratibhāti naḥ sugata.

tadyathāpi nāma Bhagavan kaścid eva puruṣaḥ pituḥ sāntikād apakramet[9] so 'pakramyānyataraṃ janapadapradeśaṃ gacchet. sa tatra bahūni varṣāṇi vipravased viṃśatiṃ vā triṃśad vā catvāriṃśad vā pañcāśad vā. atha sa Bhagavan mahān puruṣo bhavet sa ca daridraḥ syāt sa[10] vṛttiṃ paryeṣamāṇa āhāracīvarahetor diśo vidiśaḥ[11] prakrāmann anyataraṃ janapadapradeśaṃ gacchet. tasya ca sa pitānyaṃ[12] janapadaṃ prakrāntaḥ syād bahudhanahiraṇyakośakoṣṭhāgāraś[13] ca bhaved bahusuvarṇarūpyamaṇimuktāvaiḍūryaśaṅkhaśilāpravāḍajātarūparajatasamanvāgataś ca bhaved bahudāsīdāsakarmakarapauruṣeyaś ca bhaved bahuhastyaśvarathagaveḍakasamanvāgataś ca bhavet. mahāparivāraś ca bhaven mahājanapadeṣu ca dhanikaḥ syād āyogaprayogakṛṣivaṇijyaprabhūtaś ca bhavet. atha khalu Bhagavan sa daridrapuruṣa āhāracīvaraparyeṣṭihetor grāmanagaranigamajanapadarāṣṭrarājadhānīṣv anuhiṇḍamāno[14] 'nupūrveṇa yatrāsau puruṣo bahudhanahiraṇyasuvarṇakośakoṣṭhāgāras tasyaiva pitā vasati tan nagaram anuprāpto bhavet. atha khalu Bhagavan sa daridrapuruṣasya pitā bahudhanahiraṇyakośakoṣṭhāgāras tasmin nagare vasamānas taṃ pañcāśadvarṣanaṣṭaṃ putraṃ satatasamitam anusmaret samanusmaramāṇaś ca na kasyacid ācakṣeyād[15] anyatraika evātmanādhyātmaṃ saṃtapyed evaṃ ca cintayet: aham asmi jīrṇo vṛddho mahallakaḥ prabhūtaṃ me hiraṇyasuvarṇadhanadhānyakośakoṣṭhāgāraṃ saṃvidyate na ca me putraḥ kaścid asti. mā haiva mama kālakriyā bhavet sarvam idam aparibhuktaṃ vinaśyet. sa taṃ punaḥ-punaḥ putram anusmaret: aho nāmāhaṃ nirvṛtiprāpto bhūyāṃ[15a] yadi me sa putra imaṃ dhanaskandhaṃ paribhuñjīta. atha khalu Bhagavan sa daridrapuruṣa āhāracīvaraṃ paryeṣamāṇo 'nupūrveṇa yena tasya prabhūtahiraṇyasuvarṇadhanadhānyakośakoṣṭhāgārasya[16] niveśanaṃ tenopasaṃkrāmet. atha khalu Bhagavan sa tasya daridrapuruṣasya pitā svake niveśanadvāre mahatyā brāhmaṇakṣatriyagṛhapatipariṣadā[17] parivṛtaḥ puraskṛto mahāsiṃhāsane sapādapīṭhe suvarṇarūpyapratimaṇḍita upaviṣṭo hiraṇyakoṭīśatasahasrair vyavahāraṃ kurvan vālavyajanena vījyamāno vitatavitāne pṛthivīpradeśe muktakusumābhikīrṇe ratnadāmābhipralambite mahatyarddhyopaviṣṭaḥ syāt. adrākṣīt sa Bhagavan daridrapuruṣas taṃ svakaṃ pitaraṃ svake niveśanadvāra evaṃrūpayarddhyopaviṣṭaṃ mahatā janakāyena parivṛtaṃ gṛhapatikṛtyaṃ kurvāṇam. dṛṣṭvā ca punar bhītas

7. mss., for ca sma. 8. O, for aparyeṣṭam. 9. O, for antikād apakrāmet. 10. edd. add ca, with a single Nep. ms. 11. WT with some mss. for (em.) daśa diśaḥ. 12. v.l. incl. O, for °nyatamaṃ. 13. edd. add dhānya after dhana, with one Nep. ms. 14. O, see D. 15. O, for ācakṣed. 15a. §29.43. 16. edd. add samṛddhasya puruṣasya, with scant ms. support. 17. gṛhapati v.l. incl. O, for viṭchūdra (2 mss.).

trastaḥ saṃvignaḥ saṃhṛṣṭaromakūpajāta udvignamānasa evaṃ cintayām[18] āsa: sahasaivāyaṃ mayā rājā vā rājamātro vāsādito nāsty asmākam iha kiṃcit karma. gacchāmo vayam, yena daridravīthī tatrāsmākam āhāracīvaram alpakṛcchreṇaivotpatsyate. alaṃ me ciraṃ vilambitena, mā haivāham iha vaiṣṭiko[19] vā gṛhyeyānyataraṃ vā doṣam anuprāpnuyām. atha khalu Bhagavan sa daridrapuruṣo duḥkhaparaṃparāmanasikārabhayabhītas tvaramāṇaḥ prakrāmet palāyen na tatra saṃtiṣṭhet. atha khalu Bhagavan sa āḍhyaḥ puruṣaḥ svake niveśanadvāre siṃhāsana upaviṣṭas taṃ svakaṃ putraṃ saha darśanenaiva pratyabhijānīyāt. dṛṣṭvā ca punas tuṣṭa udagra āttamanāḥ[20] pramuditaḥ prītisaumanasyajāto bhaved evaṃ ca cintayet: āścaryaṃ[21] yatra hi nāmemasya[22] mahato hiraṇyasuvarṇadhanadhānyakośakoṣṭhāgārasya paribhoktopalabdhaḥ. ahaṃ caitam eva punaḥ-punaḥ samanusmarāmi, ayaṃ ca svayam evehāgataḥ. ahaṃ ca jīrṇo vṛddho mahallakaḥ.

atha khalu Bhagavan sa puruṣaḥ putratṛṣṇāyā[23] saṃpīḍitas tasmin samaye[24] tasmin kṣaṇe[25] lavamuhūrte javanān[26] puruṣān saṃpreṣayet: gacchata mārṣā etaṃ puruṣaṃ śīghram ānayadhvam. atha khalu Bhagavaṃs te puruṣāḥ sarva eva javena pradhāvitvā[27] taṃ daridrapuruṣam adhyālambeyuḥ. atha khalu Bhagavan sa daridrapuruṣas tasyāṃ velāyāṃ bhītas trastaḥ saṃvignaḥ saṃhṛṣitaromakūpajāta[28] udvignamanā[29] dāruṇam ārtasvaraṃ muñced āraved viraven[30] nāhaṃ yuṣmākaṃ kiṃcid aparādhyāmīti[31] vācaṃ bhāṣeta. atha khalu te puruṣā balātkāreṇa taṃ daridrapuruṣaṃ viravantam apy ākarṣeyuḥ. atha khalu sa daridrapuruṣo bhītas trastaḥ samudvignamanā[32] evaṃ ca cintayet: mā tāvad ahaṃ vadhyo daṇḍyo bhaveyaṃ naśyāmīti sa mūrcchito dharaṇyāṃ prapated visaṃjñaś ca bhaved[33] āsanne cāsya sa pitā bhavet. sa tān puruṣān evaṃ vadet: mā bhavanta evaṃ[34] puruṣam ānayantv iti tam evaṃ[35] śītalena vāriṇā parisiñcitvā na bhūya ālapet. tat kasya hetoḥ. jānāti sa gṛhapatis tasya daridrapuruṣasya hīnādhimuktikatām ātmanaś codārasthāmatāṃ jānīte ca: svavaśagataś ca me eṣa[36] putra iti. atha khalu Bhagavan sa gṛhapatir upāyakauśalyena na kasyacid ācakṣen mamaiṣa putra iti. atha khalu Bhagavan sa gṛhapatir anyataraṃ puruṣam āmantrayet: gaccha tvaṃ bhoḥ puruṣa, enaṃ daridrapuruṣam evaṃ vadasva, gaccha tvaṃ bhoḥ puruṣa yenākāṅkṣasi mukto 'si. evaṃ vadati sa puruṣas tasmai pratiśrutya yena sa daridrapuruṣas tenopasaṃkrāmed upasaṃkramya taṃ daridrapuruṣam evaṃ vadet: gaccha tvaṃ bhoḥ puruṣa yenākāṅkṣasi mukto 'si.[37] atha khalu sa daridrapuruṣa idaṃ vacanaṃ śrutvāścaryaprāpto[38] bhavet. sa utthāya tasmāt pṛthivīpradeśād yena daridravīthī tenopasaṃkrāmed āhāracīvaraparyeṣṭihetoḥ. atha khalu sa gṛhapatis tasya daridrapuruṣasyākarṣaṇahetor upāyakauśalyaṃ prayojayet. sa tatra dvau puruṣau prayojayed durvarṇāv alpaujaskau: gacchantu[39] bhavantau

18. v.l. incl. O, for anuvicint°. 19. or with O viṣṭīkārako. 20. v.l. incl. O, for °manaskaḥ. 21. so v.l. incl. O; edd. add yāvad. 22. O (§21.62), for nāmāsya. 23. O (§9.48) for tṛṣṇā-. 24. v.l. incl. O; edd. om. ta° sa°. 25. v.l. incl. O, for kṣaṇa-. 26. so edd. with O, but Nep. mss. javinān, this time non-Sktic and perh. to be read (D.); cf. §1.40. 27. WT with K′, for °vitās. 28. mss., for (em.) saṃhṛṣṭa°. 29. v.l. incl. O, for °mānaso. 30. mss., for (em.) °vet plus daṇḍa. 31. WT with K′, for °rādhyam iti. 32. O, for saṃvigna udvignamānasa. 33. O, for (em.) syād. 34. WT with v.l. for etaṃ. 35. WT with K′ for enaṃ. 36. sva° . . . eṣa O, for mamaiṣa. 37. for (2 mss.) 'sīti. 38. O, for °ścaryādbhutaprāpto. 39. O, for (em.) gacchatāṃ (Nep. mss. mostly °ta).

yo 'sau puruṣa ihāgato 'bhūt, taṃ yuvāṃ dviguṇayā divasamudrayātmavacanenaiva bharitvā ānayatha iha[40] mama niveśane karma kārāpaṇāya.[41] sacet sa evaṃ vadet kiṃ karma kartavyam iti sa yuvābhyām evaṃ vaktavyaḥ saṃkāradhānaṃ śodhayitavyaṃ sahāvābhyām iti. atha tau puruṣau taṃ daridrapuruṣaṃ paryeṣayitvā tayā kriyayā saṃpādayetām. atha khalu tau dvau puruṣau sa ca daridrapuruṣo vetanaṃ gṛhītvā tasya mahādhanasya puruṣasyāntikāt tasminn eva niveśane saṃkāradhānaṃ śodhayeyuḥ. tasyaiva ca mahādhanasya puruṣasya gṛhaparisare kaṭapalikuñcikāyāṃ vāsaṃ kalpayeyuḥ. sa cāḍhyaḥ puruṣo gavākṣavātāyanena taṃ svakaṃ putraṃ paśyet saṃkāradhānaṃ śodhayamānam. dṛṣṭvā ca punar āścaryaprāpto bhavet.

atha khalu sa gṛhapatiḥ svakān niveśanād avatīryāpanāmayitvā[42] mālyābharaṇāny apanayitvā mṛdukāni vastrāṇi caukṣāṇy udārāṇi malināni vastrāṇi prāvṛtya dakṣiṇena pāṇinā piṭakaṃ parigṛhya pāṃsunā svagātraṃ dūṣayitvā dūrata eva saṃbhāṣamāṇo[43] yena sa daridrapuruṣas tenopasaṃkrāmed upasaṃkramyaivaṃ vadet: vahantu bhavantaḥ piṭakāni mā tiṣṭhata harata pāṃsūni. anenopāyena taṃ putram ālapet saṃlapec cainaṃ vadet: ihaiva tvaṃ[44] puruṣa karma kuruṣva mā bhūyo 'nyatra gamiṣyasi. saviśeṣaṃ te 'haṃ vetanakaṃ dāsyāmi. yena-yena ca te kāryaṃ bhavet tad viśrabdhaṃ māṃ yācer yadi vā kuṇḍamūlyena yadi vā kuṇḍikāmūlyena yadi vā coṭakambalena[45] yadi vā kāṣṭhamūlyena yadi vā lavaṇamūlyena yadi vā sthālīmūlyena[46] yadi vā prāvaraṇena. asti me bhoḥ puruṣa jīrṇaśāṭī. sacet tayā te kāryaṃ syād yācer ahaṃ te 'nupradāsyāmi. yena-yena te bhoḥ puruṣa kāryam evaṃrūpeṇa pariṣkāreṇa taṃ-tam evāhaṃ te sarvam anupradāsyāmi. nirvṛtas tvaṃ bhoḥ puruṣa bhava yādṛśas te pitā tādṛśas te 'haṃ mantavyaḥ. tat kasya hetoḥ. ahaṃ ca vṛddhas tvaṃ ca daharo mama ca tvayā bahu karma kṛtam imaṃ saṃkāradhānam śodhayatā na ca tvayā bhoḥ puruṣātra karma kurvatā śāṭhyaṃ vā vakratā vā kauṭilyaṃ vā māno vā mrakṣo vā kṛtapūrvaḥ karoṣi vā. sarvathā te bhoḥ puruṣa na samanupaśyāmy ekam api pāpakarma yathaiṣām anyeṣāṃ puruṣāṇāṃ karma kurvatām ime doṣāḥ saṃvidyante. yādṛśo me putra aurasas tādṛśas tvaṃ mamādyāgreṇa bhavasi. atha khalu Bhagavan sa gṛhapatis tasya daridrapuruṣasya putra iti nāma kuryāt sa ca daridrapuruṣas tasya gṛhapater antike pitṛsaṃjñām utpādayet. anena Bhagavan paryāyeṇa sa gṛhapatiḥ putrakāmatṛṣito viṃśativarṣāṇi taṃ putraṃ saṃkāradhānaṃ śodhāpayet. atha viṃśatīnāṃ[47] varṣāṇām atyayena sa daridrapuruṣas tasya gṛhapater niveśane viśrambhiko[48] bhaven niṣkramaṇapraveśe tatraiva ca kaṭapalikuñcikāyāṃ vāsaṃ kalpayet.

atha khalu Bhagavaṃs tasya gṛhapater glānyaṃ pratyupasthitaṃ bhavet sa maraṇakālasamayaṃ cātmanaḥ pratyupasthitaṃ samanupaśyet. sa taṃ daridrapuruṣam evaṃ vadet: āgaccha tvaṃ bhoḥ puruṣedaṃ[49] mama prabhūtaṃ hiraṇyasuvarṇadhanadhānyakośakoṣṭhāgāram asty ahaṃ bāḍhaglāna

40. O, for bharayitveha. 41. O (infin.; §36.15), for (em.) °payethām. 42. after avatīrya, O inserts, saṃkaradūṣita-(printed °pita-)gātrasya mūlam upasaṃkramati, which perhaps should be accepted; O apanāmayitvā, for (a)panayitvā. 43. WT with K′, for °ṣayamāṇo; Tib. smra zhiṅ, 'speaking'; O saṃkrāmayamāṇo. 44. edd. add bhoḥ with 1 ms. 45. O, for sthālikā-(mss. mostly °ka-) mūlyena. 46. O, for bhojanena. 47. all mss. but one, for °ter. 48. O (visra°), for viśrabdho. 49. O, for puruṣa, idaṃ.

icchāmy etaṃ[50] yasya dātavyaṃ yataś ca grahītavyaṃ yac ca nidhātavyaṃ bhavet sarvaṃ saṃjānīyāḥ. tat kasya hetoḥ. yādṛśa evāham asya dravyasya svāmī tādṛśas tvam api mā ca me tvaṃ kiṃcid ato vipraṇāśeyāsīti.[51] atha khalu Bhagavan sa daridrapuruṣo 'nena paryāyeṇa tac ca tasya gṛhapateḥ prabhūtaṃ hiraṇyasuvarṇadhanadhānyakośakoṣṭhāgāraṃ saṃjānīyād ātmanā ca tato niḥspṛho bhaven na ca tasmāt kiṃcit prārthayed antaśaḥ saktuprasthamūlyamātram api tatraiva ca kaṭapalikuñcikāyāṃ vāsaṃ kalpayet tām eva daridracintām anuvicintayamānaḥ. atha khalu Bhagavan sa gṛhapatis taṃ putraṃ śaktaṃ paripālakaṃ paripakvaṃ[51a] viditvāvamarditacittam udārasaṃjñayā ca paurvikayā daridracintayārtīyantaṃ[52] jehrīyamāṇaṃ jugupsamānaṃ viditvā maraṇakālasamaye pratyupasthite taṃ daridrapuruṣam ānayitvā[53] mahato jñātisaṃghasyopanāmayitvā rājño vā rājamātrasya vā purato naigamajānapadānāṃ ca saṃmukham evaṃ saṃśrāvayet: śṛṇvantu bhavanto 'yaṃ mama putra auraso mayaiva janitaḥ. amukaṃ nāma nagaraṃ tasmād eṣa pañcāśadvarṣo naṣṭaḥ. amuko nāmaiṣa nāmnāham apy amuko nāma. tataś cāhaṃ nagarād etam eva mārgamāṇa ihāgataḥ. eṣa mama putro 'ham asya pitā. yaḥ kaścin mamopabhogo 'sti taṃ sarvam asmai puruṣāya niryātayāmi yac ca me kiṃcid asti pratyātmakaṃ dhanaṃ tat sarvam eṣa eva jānāti. atha khalu Bhagavan sa daridrapuruṣas tasmin samaya imam evaṃrūpaṃ ghoṣaṃ śrutvāścaryādbhutaprāpto bhaved evaṃ ca vicintayet sahasaiva mayedam eva tāvad dhiraṇyasuvarṇadhanadhānyakośakoṣṭhāgāraṃ pratilabdham iti.

evam eva Bhagavan vayaṃ tathāgatasya putrapratirūpakās tathāgataś cāsmākam evaṃ vadati putrā mama yūyam iti yathā sa gṛhapatiḥ. vayaṃ ca Bhagavaṃs tisṛbhir duḥkhatābhiḥ saṃpīḍitā āsīt.[54] katamābhis tisṛbhir yad uta duḥkhaduḥkhatayā saṃskāraduḥkhatayā vipariṇāmaduḥkhatayā ca saṃsāre ca hīnādhimuktikāḥ. tato vayaṃ Bhagavatā bahūn dharmān pratyavarān saṃkāradhānasadṛśān anuvicintayitāḥ.[54a] teṣu cāsma prayuktā ghaṭamānā vyāyacchamānā nirvāṇamātraṃ ca vayaṃ Bhagavan divasamudrām iva paryeṣamāṇā mārgāmaḥ. tena ca vayaṃ Bhagavan nirvāṇena pratilabdhena tuṣṭā bhavāmo bahu ca labdham iti manyāmahe tathāgatasyāntikād eṣu dharmeṣv abhiyojitvā[55] ghaṭitvā vyāyamitvā. jānāti[56] ca tathāgato 'smākaṃ hīnādhimuktikatāṃ jñātvā cāsmākaṃ tathāgata upekṣati na saṃbhindati[57] nācaṣṭe yo 'yaṃ tathāgatasya jñānakośa eṣa eva yuṣmākaṃ bhaviṣyatīti. Bhagavāṃś cāsmākam upāyakauśalyenāsmiṃs tathāgatajñānakośe dāyādān saṃsthāpayati.[58] niḥspṛhāś ca vayaṃ Bhagavaṃs tata[59] evaṃ jānīma etad evāsmākaṃ bahukaraṃ yad vayaṃ tathāgatasyāntikād divasamudrām iva nirvāṇaṃ pratilabhāmahe. te vayaṃ Bhagavan bodhisattvānāṃ mahāsattvānāṃ tathāgatajñānadarśanam ārabhyodārāṃ dharmadeśanāṃ kurmas tathā-

50. (etat.) **51**. O (§29.37), for °śayiṣyasi. **51a**. O paripālana-samarthaṃ; perh. read so. **52**. D. ar(t)tiyati. **53**. mss., for ānāyya. **54**. O, for abhūma (most mss. abhūvan). **54a**. O cintāpayamānās. **55**. O, for abhiyuktā. **56**. v.l. incl. O, for pra-jā°. **57**. O jñātvā . . . °dati, for tataś ca bhagavān asmān (partly em.) upekṣate na saṃbhinatti. **58**. some mss. insert, vayaṃ ca tathāgatajñānaṃ vyavahārayāmaḥ; O is said to read here, tathāgatajñānaratnakośe vyohārāpayi (3 sg. opt., or aor., caus. to vyavahar-, 'cause to do business in'), but whether as addition to, or substitute for, the last words of the text is not clear. **59**. abl. with niḥspṛhāś, as just below tato niḥ°.

gatajñānaṃ vivarāṁo darśayāma upadarśayāmo vayaṃ Bhagavaṃs tato niḥspṛhāḥ samānāḥ. tat kasya hetoḥ. upāyakauśalyena tathāgato 'smākam adhimuktiṃ prajānāti. tac ca vayaṃ na jānīmo na budhyāmahe yad idaṃ Bhagavatāitarhi kathitaṃ yathā vayaṃ Bhagavato bhūtāḥ putrā Bhagavāṃś cāsmākaṃ smārayati tathāgatajñānadāyādān.[60] tat kasya hetoḥ. yathāpi nāma vayaṃ tathāgatasya bhūtāḥ putrāḥ.[61] api tu khalu punar hīnādhimuktāḥ. saced Bhagavān asmākaṃ paśyed adhimuktibalaṃ bodhisattvaśabdaṃ Bhagavān asmākam udāhared vayaṃ punar Bhagavatā dve kārye kārāpitā bodhisattvānāṃ cāgrato hīnādhimuktikā ity uktās te codārāyāṃ buddhabodhau samādāpitāḥ. asmākaṃ cedānīṃ Bhagavān adhimuktibalaṃ jñātvedam udāhṛtavān anena vayaṃ Bhagavan paryāyeṇaivaṃ vadāmaḥ: sahasaivāsmābhir niḥspṛhebhir niṣpipāsebhir[62] anākāṅkṣitam amārgitam aparyeṣitam acintitam aprārthitaṃ sarvajñatāratnaṃ pratilabdhaṃ yathāpīdaṃ tathāgatasya putraiḥ. atha khalv āyuṣmān Mahākāśyapas tasyāṃ velāyām imā gāthā abhāṣata:

1. āścaryaprāptā[63] sma tathādbhutāś ca
audbilyaprāptā sma śruṇitva ghoṣam
sahasā hi asmair idam evarūpaṃ[64]
manujñaghoṣaṃ śruta[65] nāyakasya
2. viśiṣṭaratnāna mahantarāśir
muhūrtamātreṇ' ayam adya labdhaḥ
na cintito nāpi kadāci prārthitas
taṃ śrutva āścaryagatā sma sarve
3. yathāpi bālaḥ puruṣo bhaveta
utplāvito bālajanena santaḥ
pituḥ sakāśātu[66] sa prakrameya[67]
anyaṃ ca deśaṃ vraji so sudūram
4. pitā ca taṃ śocati tasmi kāle
palāyitaṃ jñātva svakaṃ hi putram
diśā ca vidiśā ca samanta aṇvate[68]
varṣāṇi pañcāśad anūnakāni
5. tathā ca so putra gaveṣamāṇo
anyaṃ mahantaṃ nagaraṃ hi gatvā
niveśanaṃ māpiya tatra tiṣṭhet
samarpito[69] kāmaguṇehi pañcabhiḥ
6. bahuṃ hiraṇyaṃ ca suvarṇarūpyaṃ
dhānyaṃ dhanaṃ śaṅkhaśilāpravāḍam
hastī ca aśvāś ca padātayaś ca
gāvaḥ paśūś caiva tathaiḍakāś ca
7. prayoga āyoga tathaiva kṣetrā
dāsī ca dāsā bahu preṣyavargaḥ

60. O cited as darśanasya dātāra-dā° (-yā. dān? for tathāga° . . . ?). **61**. WT with K', for putrā iti. **62**. O, for niḥspṛhair (only). **63**. O, for °ryabhūtā. **64**. O, for sahasaiva asmābhir (§20.52) ayaṃ tathādya. **65**. O (§3.54), for manojñaghoṣaḥ śrutu. **66**. mss. sakāśāt tu (to be kept?). **67**. sa pra° O, for apakrameta. **68**. O, for śocantu so digvidiśāsu haṃce (q.v. D.). **69**. D.

susatkṛtaḥ prāṇisahasrakoṭibhi[70]
rājñaś ca so vallabhu nityakālam
8. kṛtāñjalī tasya bhavanti nāgarā
grāmeṣu ye cāpi bhavanti grāmikā[71]
bahu vāṇijās tasya vrajanti antike
bahūhi kāryehi kṛtādhikārāḥ
9. etādṛśo ṛddhimato naraḥ syāj
jīrṇaś ca vṛddhaś ca mahallakaś ca
sa putraśokaṃ anucintayantaḥ
kṣapeya rātriṃdiva nityakālam
10. sa tādṛśo durmati mahya putraḥ
pañcāśa varṣāṇi yadā palāyitaḥ[72]
ayaṃ ca kośo vipulo mamāsti
kālakriyā co mama pratyupasthitā
11. so cāpi bālo tada tasya putro
daridrakaḥ kṛpaṇaku nityakālam
grāmeṇa grāmaṃ anucaṅkramantaḥ
paryeṣate bhakta tathaiva coṭakam[73]
12. paryeṣamāṇo 'pi kadāci kiṃcil
labheta kiṃcit puna naiva kiṃcit
sa śocate[74] parasaraṇeṣu[75] bālo
dadrūya kaṇḍūya vidigdhagātraḥ[76]
13. so co[76a] vrajet taṃ nagaraṃ yahiṃ pitā
anupūrvaśo tatra gato bhaveta
bhaktaṃ ca coḍaṃ ca gaveṣamāṇo
niveśanaṃ yatra pitā svakasya[77]
14. so cāpi āḍhyaḥ puruṣo mahādhano
dvārasmi siṃhāsani saṃniṣaṇṇaḥ
parivāritaḥ prāṇiśatair anekair
vitānu[78] tasyā[79] vitato 'ntarīkṣe
15. āpto janaś cāsya samantataḥ sthito
dhanaṃ hiraṇyaṃ ca gaṇenti kecit
kecit tu lekhān api lekhayanti
kecit prayogaṃ ca prayojayanti
16. so cā daridro tahi etu dṛṣṭvā
vibhūṣitaṃ gṛhapatino niveśanam
kahiṃ nu adyo[80] aham atra āgato
rājā ayaṃ bheṣyati rājamātraḥ
17. mā dāni doṣaṃ pi labheyam atra
gṛhṇitva veṣṭiṃ pi ca kārayeyam[81]

70. O and most other mss., for °bhī. 71. O, for vasanti grāmiṇaḥ. 72. O, for varṣā pi tadā palāyakaḥ 73. O, for tathāpi coḍam. 74. O, for śuṣyate. 75. WT em. °śaraṇeṣu; Tib. 'house(s) of others'; see §2.63. 76. see D. vidigdha; O kilāsa-g° (against Tib.). 76a. or cā, m.c. for ca. 77. Nep. mss., see D. svaka(m), end, for edd. em. pitu sva°; O pitu so upāgami (unmetr. without change in the prec.). 78. most mss., for °na; O °ni. 79. Nep. mss., for tasya (O; unmetr.) 80. m.c. with WT for adya (could also be adyā). 81. §37.17.

anucintayantaḥ sa palāyate naro
daridravīthīṃ paripṛcchamānaḥ

18. so cā[82] dhanī tam svaku putra dṛṣṭvā
siṃhāsanasthaś ca bhavet prahṛṣṭaḥ
sa dūtakān preṣayi tasya antike
ānetha etaṃ puruṣaṃ daridram

19 samanantaraṃ tehi gṛhītu so naro
gṛhītamātro 'tha sa[83] murcha gacchet
dhruvaṃ khu mahyaṃ vadhakā upasthitāḥ
kiṃ mahya[84] coḍena ca[85] bhojanena vā

20. dṛṣṭvā ca so paṇḍitu taṃ mahādhanī
hīnādhimukto ayu bāla durmatiḥ
na śraddadhī mahyam imāṃ vibhūṣitāṃ
na cāpi okalpayi eṣa me pitā[86]

21. puruṣāṃś ca so tatra prayojayeta
vaṅkāś ca ye kāṇaka kuṇṭhakāś ca
kucailakā[87] kṛṣṇaka hīnasattvāḥ
paryeṣathā taṃ naru karmakārakam

22. saṃkāradhānaṃ imu mahya pūtikam
uccāraprasrāvavināśitaṃ ca
tacchodhanārthāya[88] karohi karma
dviguṇaṃ ca te vetanakaṃ pradāsye

23. etādṛśaṃ ghoṣa śruṇitva so naro
āgatya saṃśodhayi taṃ pradeśam
tatraiva so āvasathaṃ ca kuryān
niveśanasyo palikuñcikesmin[89]

24. so cā[90] dhanī taṃ puruṣaṃ nirīkṣed
gavākṣaolokanakehi nityam
hīnādhimukto ayu mahya putraḥ
saṃkāradhānaṃ śucikaṃ karoti

25. sa otaritvā piṭakaṃ gṛhītvā
malināni vastrāṇi ca prāvaritvā
upasaṃkramet tasya narasya antike
avabhatsayanto[91] na karotha karma

26. dviguṇaṃ ca te vetanakaṃ dadāmi
dviguṇaṃ ca bhūyas tatha pādamrakṣaṇam
saloṇa bhaktaṃ ca dadāmi tubhya
śākaṃ ca śāṭiṃ ca punar dadāmi

82. §4.21. **83**. 'tha sa WT with K' and Tib., for atha. **84**. WT with K' and Tib., for kim adya. **85**. all mss. (incl. O) but one, for tha; ca introduces the entire sentence. **86**. O (see D. avakalpayati), for pitā mamāyaṃ ti na cāpi śraddadhīt. **87**. O duścoḍikāḥ, cf. D. coḍaka (but °ḍakāḥ would be expected). **88**. O, for taṃ śo°. **89**. see D. palik°; §§8.70–72; O °sya-(unmetr.)-m-atidūri vāsam (secondary lect. fac.). **90**. m.c. with edd. for ca; cf. vs 18, n. 82. **91**. mss. (O corrupt), for °bharts°; §2.17; Chap. 43 s.v. bharts.

27. evaṃ ca taṃ bhatsiya[92] tasmi kāle
 saṃśleṣayet taṃ punar eva paṇḍitaḥ
 suṣṭhuṃ khalū[93] karma karoṣi atra
 putro 'si vyaktaṃ mama nātra saṃśayaḥ
28. sa stokastokaṃ ca gṛhaṃ praveśayet
 karmaṃ ca kārāpayi taṃ manuṣyam
 viṃśac ca varṣāṇi supūritāni
 krameṇa viśrambhayi taṃ naraṃ saḥ
29. hiraṇya[94] so mauktika[95] sphāṭikaṃ ca
 pratiśāmayīt[96] tatra niveśanasmin[97]
 sarvaṃ ca so saṃgaṇanāṃ karoti
 arthaṃ ca sarvaṃ anucintayiṣye[98]
30. bahirdha so tasya niveśanasya
 kuṭikāya eko vasamānu bālaḥ
 daridracintām anucintayeta
 na me 'sti etādṛśa bhogu kecit[99]
31. jñātvā ca so tasya im' evarūpam
 udārasaṃjñābhigato mi putraḥ
 sa ānayitvā suhṛjñātisaṃghaṃ
 niryātayiṣye 'sy' ima[100] sarvam artham
32. rājāna so naigamanāgarāṃś ca
 samānayitvā bahu vāṇijāṃś ca
 evaṃ uvācā[100a] pariṣāya madhye
 putro mamāyaṃ cira vipranaṣṭakaḥ
33. pañcāśa varṣāṇi supūra pūrvam[1]
 anye c' ato viṃśati ye[2] mi dṛṣṭaḥ
 amukātu nagarātu mamaiṣa naṣṭo
 ahaṃ ca mārganta ihaiva-m[3]-āgataḥ
34. sarvasya dravyasya ayaṃ prabhur me
 etasya niryātayi sarv' aśeṣataḥ
 karotu kāryaṃ ca pitur dhanena
 sarvaṃ kuṭumbaṃ ca dadāmi etat
35. āścaryaprāptaś ca bhaven naro 'sau
 daridrabhāvaṃ purimaṃ smaritvā
 hīnādhimuktiṃ ca pituś ca tān guṇāṃ
 dṛṣṭvā[4] kuṭumbaṃ sukhito 'smi adya
36. tathaiva cāsmāka vināyakena
 hīnādhimuktitva vijāniyāna
 na śrāvitaṃ buddha bhaviṣyatheti
 yūyaṃ kilā[5] śrāvaka mahya putrāḥ

92. most mss. (cf. n. 91), for bhartsayi (em. or misprint). **93.** WT with K′ for khalu (unmetr.). **94, 95.** all mss. but one, for °ṇyu, °ku. **96.** so KN with O (opt. in mg., §§32.119 ff.); WT with Nep. mss. °yet. **97.** Nep. mss. °nesmin (§§8.70 ff.). **98.** O and 1 Nep. ms. (§31.37), for °yeta (1 ms.). **99.** §8.25. **100.** (= asya imam) O, for °yiṣyāmy ahu. **100a.** m.c. for °ca. **1.** O, for supūrṇakāni (with vv.ll.). **2.** §21.31; O viṃśāni yato 'smi (dṛṣṭaḥ), which is unmetrical unless ca be read for c' ato. **3.** §4.59; O ihaiva ā°. **4.** most mss., for labdhvā. **5.** m.c. for kila.

37. asmāṃś ca adhyeṣati lokanātho
ye prasthitā uttamam agrabodhim
deśehi tvaṃ[6] Kāśyapa mārg' anuttaraṃ
yaṃ mārga bhāvitva bhaveyu buddhāḥ
38. vayaṃ ca teṣāṃ sugatena preṣitā
bahubodhisattvāna mahābalānām
anuttaraṃ mārga pradarśayāma
dṛṣṭāntahetūnayutāna koṭibhiḥ
39. śrutvā ca asmāka jinasya putrā
bodhāya bhāventi sumārgam agryam
te vyākriyante ca kṣaṇasmi tasmi[6a]
bhaviṣyathā buddha imasmi loke
40. etādṛśaṃ karma karoma tāyināṃ[7]
saṃrakṣamāṇā ima dharmakośam
prakāśayantaś ca jinātmajānāṃ
vaiśvāsikas tasya yathā naraḥ saḥ
41. daridracintāś ca vicintayāma
viśrāṇayanto ima buddhakośam
na caiva prārthe 'mu[8] jinasya jñānaṃ
jinasya jñānaṃ ca prakāśayāmaḥ
42. pratyātmikīṃ nirvṛti kalpayāma
etāvatā jñānam idaṃ na bhūyaḥ
nāsmāka harṣo pi kadāci bhoti
kṣetreṣu buddhāna śruṇitva vyūhān[9]
43. śāntāḥ kilaḥ[10] sarv' imi dharm' anāsravā
nirodha-utpādavivarjitāś ca
na cātra kaścid bhavatīha dharma[11]
evaṃ tu cintitva[12] na bhoti śraddhā
44. suniḥspṛhā vayam iha[13] dīrgharātraṃ
buddhāna jñānasmi anuttarasmi[14]
praṇidhānam asmāka na jātu tatra
iyaṃ parā niṣṭha jinena uktā
45. nirvāṇaparyanti samucchraye 'smin
paribhāvitā śūnyata dīrgharātram
parimukta traidhātukaduḥkhapīḍayā[15]
kṛtaṃ ca asmābhi jinasya śāsanam
46. yaṃ pī[16] prakāśema jinātmajānāṃ
ye agrabodhīya bhavanti prasthitā[17]
tesāṃ ca yat kiṃci vadāma dharmaṃ
spṛha tatra asmāka na jātu bhoti

6. O, for teṣāṃ vade. 6a. O, for tasmin. 7. O and 1 Nep. ms., for °naḥ. 8. WT with K' and Tib. (ḥdi 'this' = imaṃ for idaṃ), for prārthema; 1 sg. prārthe, perhaps for 1 pl., cf. §25.27; or sg. subject, cf. vs 37. 9. perh. read viyūha śrutvā with O. 10. K' (§2.81), or kila (unmetr.). 11. v.l. incl. O, for dharmo. 12. mss. (§38.33, cf. also §3.49), for cintetva. 13. most Nep. mss., for sma (O ca) vaya (unmetr.). 14. O (§8.64), for buddhasya jñānasya anuttarasya. 15. O, for °ḍitāḥ. 16. m.c. (O pi), for hi; yaṃ (= yat), referring to what follows, as adv. or conj.; taṃ (= tat) in vs 46 refers back to it; 'even when . . . then.' 17. O, for ye prasthitā bhonti ihāgrabodhau.

47. taṃ cāsma[18] lokācariyo maharṣi[19]
upekṣate kālam avekṣamāṇaḥ
na bhāṣate bhūtapadārthasaṃdhiṃ
adhimuktim asmāka gaveṣamāṇaḥ
48. upāyakauśalya yathaiva tasya
mahādhanasyo[20] puruṣasya kāle
hīnādhimuktaṃ satataṃ damesi[21]
damiyāna cāsmai pradadāti tad dhanam[22]
49. suduṣkaraṃ kurvati lokanātho
upāyakauśalya prayojayantaḥ[23]
hīnādhimuktān damayantu putrān
damiyāna[24] co[25] jñānam idaṃ pradeti[26]
50 āścaryaprāptā sahasā sma adya
yathā daridro labhiyāna vittam
phalaṃ ca prāptaṃ iha buddhaśāsane
prathamaṃ viśiṣṭaṃ ca anāsravaṃ ca
51. yac chīlam asmābhi ca dīrgharātraṃ
saṃrakṣitaṃ lokaviduṣya śāsane
asmābhi labdhaṃ phalam adya tasya
śīlasya pūrvaṃ caritasya nātha
52. yad brahmacaryaṃ paramaṃ viśuddhaṃ
niṣevitaṃ śāsani nāyakasya
tasyo viśiṣṭaṃ phalam adya labdhaṃ
śāntaṃ udāraṃ ca anāsravaṃ ca
53. adyo vayaṃ śrāvaka bhūta[27] nātha
saṃśrāvayiṣyāma imāgrabodhim[28]
bodhīya śabdaṃ ca prakāśayāmas
teno vayaṃ śrāvaka bhīṣmakalpāḥ[29]
54. arhanta bhūtā vayam adya nātha
arhāmahe pūja sadevakātu[30]
lokāt samārāc ca sabrahmakāc ca[31]
sarveṣa sattvāna ca sāntikātu[32]
55. ko nāma śaktaḥ pratikartu tubhyam
udyuktarūpo bahukalpakoṭyaḥ
ya duṣkarān īdṛśakān[33] karoṣi
suduṣkarān yān iha martyaloke
56. hastehi pādehi śireṇa cāpi
pratipriyaṃ[34] duṣkarakaṃ hi kartum

18. §20.46. **19.** O, for svayaṃbhūr. **20.** m.c. for °sya. **21.** O (§32.65), for °meti. **22.** O tad dh°, for vittam. **23.** O, for prakāśayantaḥ. **24.** O, for dametva. **25.** m.c. (or cā; or perh. originally cañ ñānam, or the like, §§2.77 ff.), for ca. **26.** O, for dadāti. **27.** 'true, real'; so in next vs. **28.** O, for °ṣyāmatha (§26.10) cāgra°. **29.** I doubt that bhīṣma is a n. pr.; Tib. suggests adj. (mi bzad renders tīvra etc.). **30.** O, for Nep. mss. °kāto; §8.52. **31.** O, for samārātu sabrahmakātaḥ. **32.** O, for antikātaḥ. **33.** Nep. mss. (but su- for ya; cf. §§6.5 ff., 8.102), for (em.) °karāṇīdṛśakā; O ya duṣkaram (unmetr.) īdṛśakaṃ, and suduṣkaraṃ in next pāda (but no v.l. cited for yān). **34.** D.; break in the sense after kartum.

śireṇa aṃsena ca yo dhareta[35]
paripūrṇakalpān yatha Gaṅgavālikāḥ
57. khādyaṃ daded bhojanavastrapānaṃ
śayyāsanaṃ[36] co[37] vimalottaracchadam
vihāra kārāpayi candanāmayān
saṃstīrya co dūṣyayugehi dadyāt
58. gilānabhaiṣajya bahuprakāraṃ
pūjārtha dadyāt sugatasya nityam
dadeya kalpān yatha Gaṅgavālikā
naivaṃ kadācit pratikartu śakyam
59. mahātmadharmā[38] atulānubhāvā[38]
maharddhikāḥ[38] kṣāntibale pratiṣṭhitāḥ[38]
buddhā[38] mahārāja anāsravā[38] jinā[38]
sahanti bālāna im' īdṛśāni[39]
60. anuvartamānas tatha nityakālaṃ
nimittacārīṇa[40] bravīti dharmam
dharmeśvaro īśvara[40a] sarvaloke
maheśvaro lokavināyakendraḥ
61. pratipatti darśeti bahuprakārāṃ[41]
sattvāna sthānāni prajānamānaḥ
nānādhimuktiṃ ca viditva teṣāṃ
hetūsahasrehi bravīti dharmam
62. tathāgatā 'dhyāśaya jānamānāḥ[42]
sarveṣa sattvān' atha pudgalānām
bahuprakāraṃ hi bravīti dharmaṃ
nidarśayanto imam agrabodhim

ity ārya-Saddharmapuṇḍarīke dharmaparyāya[43] adhimuktiparivarto nāma caturthaḥ

35. WT with K' and Tib., for payodhareṇa. **36.** O, for śayanās°. **37.** most mss. (metr.), for ca. **38.** so O, -ā(ḥ), 7 times in pādas a-c (in some cases supported by some Nep. mss. and Tib.), for -o or -aḥ. **39.** O balāni deśenti tathaindriyāṇi (read tathe°); Nep. mss. supported by Tib. and Chin. (Kumārajīva, KN note). **40.** D. nimitta (1). **40a.** most mss., for (1 Nep. ms.) °ru. **41.** WT with v.l. incl. K', for °raṃ (3 mss.; construable as adv.). **42.** O, for °gataś carya prajānamānaḥ. **43.** so ed.; no v.l.

14

The Burning House

Saddharmapuṇḍarīka, Chapter III: KN 60–99.

atha khalv āyuṣmāñ Śāriputras tasyāṃ velāyāṃ tuṣṭa udagra āttamanāḥ pramuditaḥ prītisaumanasyajāto yena Bhagavāṃs tenāñjaliṃ praṇamya[1] Bhagavato 'bhimukho Bhagavantam eva vyavalokayamāno Bhagavantam etad avocat: āścaryādbhutaprāpto 'smi Bhagavann audbilyaprāpta idam evaṃrūpaṃ Bhagavato 'ntikād ghoṣaṃ śrutvā. tat kasya hetoḥ. aśrutvaiva tāvad ahaṃ Bhagavann idam evaṃrūpaṃ Bhagavato 'ntikād dharmaṃ tadanyān bodhisattvān dṛṣṭvā bodhisattvānāṃ cānāgate 'dhvani buddhanāma śrutvātīva śocāmy atīva saṃtapye bhraṣṭo 'smy evaṃrūpāt tathāgatajñānagocarāj[2] jñānadarśanāt. yadā cāhaṃ Bhagavann abhīkṣṇaṃ gacchāmi parvatagirikandarāṇi vanaṣaṇḍāny ārāmanadīvṛkṣamūlāny ekāntāni divāvihārāya tadāpy ahaṃ Bhagavan yadbhūyastvenānenaiva vihāreṇa viharāmi. tulye[3] nāma dharmadhātupraveśe vayaṃ Bhagavatā hīnena yānena niryātitāḥ. evaṃ ca me Bhagavaṃs tasmin samaye bhavaty asmākam evaiṣo 'parādho naiva Bhagavato 'parādhaḥ. tat kasya hetoḥ. saced Bhagavān asmābhiḥ pratīkṣitaḥ syāt sāmutkarṣikīṃ dharmadeśanāṃ kathayamāno yad idam anuttarāṃ samyaksaṃbodhim ārabhya teṣv eva vayaṃ Bhagavan dharmeṣu niryātāḥ syāma. yat punar Bhagavann asmābhir anupasthiteṣu bodhisattveṣu saṃdhābhāṣyaṃ Bhagavato 'jānamānais tvaramāṇaiḥ prathamabhāṣitaiva tathāgatasya dharmadeśanā śrutvodgṛhītā dhāritā bhāvitā cintitā manasikṛtā, so 'haṃ Bhagavann ātmaparibhāṣāya evaṃ[4] bhūyiṣṭhena rātriṃdivasāny[5] atināmayāmi. adyāsmi Bhagavan nirvāṇaprāptaḥ. adyāsmi Bhagavan parinirvṛtaḥ. adya me Bhagavann arhatvaṃ prāptaṃ. adyāhaṃ Bhagavan Bhagavataḥ putro jyeṣṭha auraso mukhato[6] jāto dharmajo dharmanirmito dharmadāyādo dharmanirvṛttaḥ.[7] apagataparidāho 'smy adya Bhagavann imam evaṃrūpam adbhutadharmam aśrutapūrvaṃ Bhagavato 'ntikād ghoṣaṃ śrutvā. atha khalv āyuṣmāñ Śāriputras tasyāṃ velāyāṃ Bhagavantam ābhir gāthābhir adhyabhāṣata:

1. āścaryaprāpto 'smi mahāvināyaka
   audbilyajāto imu ghoṣa śrutvā
   kathaṃkathā mahya na bhūya kācit
   paripācito 'haṃ iha agrayāne
2. āścaryabhūtaḥ sugatāna ghoṣaḥ
   kāṅkṣāṃ ca śokaṃ ca jahāti prāṇinām
   kṣīṇāsravasyo[8] mama yaś ca śoko
   vigato 'pi[9] sarvaḥ[10] śruṇiyāna ghoṣam

1. mss. (see D.), for (em.) praṇāmya. 2. O om. jñānagocarāj (hapl.). 3. WT with K' and O, for tulya-. 4. so O (instr. of °bhāṣā), for °bhāṣaṇayaiva. 5. O (cited as rātri-di°), for °divāny. 6. KN sukhato (prob. misprint). 7. O °nirvṛtaḥ (Burnouf perfectionné?); Tib. sgrub pa, prob. °ttaḥ, 'effected'. 8. m.c. (with WT) for °sya. 9. O, for mi (not in Tib.). 10. m.c. for sarva.

3. divāvihāraṃ anucaṅkramanto
   vanaṣaṇḍa ārām' atha vṛkṣamūlam
   girikandarāṃś cāpy upasevamāno
   anucintayāmī[11] imam eva cintām
4. aho 'smi parivañcitu pāpacittais
   tulyeṣu dharmeṣu anāsraveṣu
   yan nāma traidhātuki agradharmaṃ
   na deśayiṣyāmi anāgate 'dhve
5. dvātriṃśatīlakṣaṇa mahya bhraṣṭāḥ[11a]
   suvarṇavarṇacchavitā ca bhraṣṭā
   balā vimokṣāś c' imi sarvi riñcitā
   tulyeṣu dharmeṣu aho 'smi mūḍhaḥ
6. anuvyañjanā[12] ye ca mahāmunīnām
   aśīti pūrṇāḥ pravarā viśiṣṭāḥ
   aṣṭādaśāveṇika ye ca dharmās
   te cāpi bhraṣṭā ahu vañcito 'smi
7. dṛṣṭvā ca tvāṃ lokahitānukampakā[13]
   divāvihāraṃ parigamya caikaḥ
   hā vañcito 'smīti vicintayāmi
   asaṅgajñānātu acintiyātaḥ
8. rātriṃdivānī[13a] kṣapayāmi nātha
   bhūyiṣṭha so eva vicintayantaḥ
   pṛcchāmi tāvad Bhagavantam eva
   bhraṣṭo 'ham asmīty atha vā na veti
9. evaṃ ca me cintayato jinendra
   gacchanti rātriṃdiva nityakālam
   dṛṣṭvā ca anyān bahu bodhisattvān
   saṃvarṇitāṃl lokavināyakena
10. śrutvā ca so 'haṃ imu buddhadharmaṃ
   saṃdhāya etat kila bhāṣitaṃ ti
   atarkikaṃ sūkṣmam anāsravaṃ ca
   jñānaṃ praṇetī[14] jina bodhimaṇḍe
11. dṛṣṭīvilagno hy aham āsi pūrvaṃ
   parivrājakas tīrthikasaṃmataś ca
   tato mamā[15] āśayu jñātva nātho
   dṛṣṭīvimokṣāya bravīti nirvṛtim
12. vimucya tā dṛṣṭikṛtāni sarvaśaḥ
   śūnyāṃś ca dharmān ahu sparśayitvā
   tato vijānāmy ahu nirvṛto 'smi
   na cāpi nirvāṇam[16] idaṃ prakathyate[17]
13. yadā tu buddho bhavate 'grasattvaḥ
   puraskṛto naramaruyakṣarākṣasaiḥ

11. Nep. mss., for °mi (with O; unmetr.). **11a.** Nep. mss., for °ṭā (O °ṭa). **12.** KN °vyañcanā (misprint). **13.** O, for °kampī. **13a.** m.c., for °ni. **14.** Nep. mss., for °t: (O, unmetr.) **15.** WT with K', for mama (unmetr.). **16.** KN nirvāṇām (misprint). **17.** O, for KN prabudhyati, WT pravucyati (K' pravuceti).

dvātriṃśatīlakṣaṇarūpadhārī
aśeṣato nirvṛti tatra bhoti[18]
14. vyapanīta sarve mama[19] manyitāni
śrutvā ca ghoṣaṃ aham adya nirvṛtaḥ
yadāpi vyākurvasi agrabodhau
purato hi lokasya sadevakasya
15. balavac ca āsīn mama chambhitatvaṃ
prathamaṃ giraṃ śrutva vināyakasya
mā haiva māro sa bhaved viheṭhako
abhinirminitvā bhuvi buddhaveṣam
16. yadā tu hetūhi ca kāraṇaiś ca
dṛṣṭāntakoṭīnayutaiś ca darśitā
suparisthitā sā varabuddhabodhiṃ[20]
tato 'smi niṣkāṅkṣu śruṇitva dharmam
17. yadā ca me buddhasahasrakoṭyaḥ
kīrteṣy[21] atītān parinirvṛtāñ jinān
yathā ca tair deśitu eṣa dharma
upāyakauśalya[22] pratiṣṭhihitvā
18. anāgatāś co bahu buddha loke
tiṣṭhanti ye co paramārthadarśinaḥ
upāyakauśalyaśataiś ca dharmaṃ
nidarśayiṣyanty[22a] atha deśayanti ca
19. yathā[23] ca te ātmana yādṛśī carī
abhiniṣkramitvā prabhṛtīya saṃstutā
buddhaṃ ca te yādṛśu dharmacakraṃ
yathā ca te 'vasthita dharmadeśanā
20. tataś ca jānāmi na eṣa māro
bhūtāṃ cariṃ darśayi lokanāthaḥ
na hy atra mārāṇa gatī ha[24] vidyate
mamaiva cittaṃ vicikitsaprāptam
21. yadā tu madhureṇa gabhīravalgunā[25]
saṃharṣito buddhasvareṇa cāham
tadā mi vidhvaṃsita sarva saṃśayā
vicikitsa naṣṭā ca sthito 'smi jñāne
22. niḥsaṃśayaṃ bheṣyi tathāgato 'haṃ
puraskṛto loki sadevakasmi[26]
saṃdhāya vakṣye imu buddhabodhiṃ
samādapiṣye[27] bahu bodhisattvān

evam ukte Bhagavān āyuṣmantaṃ Śāriputram etad avocat: ārocayāmi te Śāriputra prativedayāmi te 'sya sadevakasya lokasya purataḥ samārakasya

18. O, for nirvṛtu bhoti tatra. **19.** O, for sarvāṇi mi. **20.** O and 1 Nep. ms. (§ 10.23), for (em.) °dhis (other mss. °dhi). **21.** §32.63. **22.** Kern transl. as instr., which is possible (§8.8), and perhaps confirmed by pāda c, vs 18; but acc. with prati° is possible. **22a.** text °syanty, perh. to be kept (§2.62). **23.** K′ (Burnouf puisque), for yadā; WT tathā with Tib. **24.** WT with K hi; KN gatīha, but iha duplicates atra; the particle ha is meant. **25.** both edd.; mss. gambhīra° (unmetr.). **26.** O (§8.64), for °kesmin. **27.** O, for °dapento.

sabrahmakasya saśramaṇabrāhmaṇikāyāḥ prajāyāḥ purato mayā tvaṃ Śāriputra viṃśatīnāṃ buddhakoṭīnayutaśatasahasrāṇām antike paripācito 'nuttarāyāṃ samyaksaṃbodhau, mama[28] ca tvaṃ Śāriputra dīrgharātram anuśikṣito 'bhūt. sa tvaṃ Śāriputra bodhisattvasaṃmantritena[29] bodhisattvarahasyeneha mama pravacana upapannaḥ. sa tvaṃ Śāriputra bodhisattvādhiṣṭhānena tat paurvakaṃ caryāpraṇidhānaṃ bodhisattvasaṃmantritaṃ bodhisattvarahasyaṃ na samanusmarasi. anirvṛto[30] nirvṛto 'smīti manyase. so 'haṃ tvāṃ Śāriputra pūrvacaryāpraṇidhānajñānānubodham anusmārayitukāma imaṃ Saddharmapuṇḍarīkaṃ dharmaparyāyaṃ sūtraṃ[31] mahāvaitulyaṃ[31] bodhisattvotpādaṃ[31] sarvabuddhaparigrahaṃ śrāvakāṇāṃ saṃprakāśayāmi. api khalu punaḥ Śāriputra bhaviṣyasi tvam anāgate 'dhvany aprameyaiḥ kalpair acintyair apramāṇair bahūnāṃ tathāgatakoṭīnayutaśatasahasrāṇāṃ saddharmaṃ dhārayitvā vividhāṃ ca pūjāṃ kṛtvemām eva bodhisattvacaryāṃ paripūrayitvā[32] Padmaprabho nāma tathāgato 'rhan samyaksaṃbuddho loke bhaviṣyasi vidyācaraṇasaṃpannaḥ sugato lokavid anuttaraḥ puruṣadamyasārathiḥ śāstā devamanuṣyāṇāṃ[33] buddho Bhagavān. tena khalu punaḥ Śāriputra samayena tasya Bhagavataḥ Padmaprabhasya tathāgatasya Virajaṃ nāma buddhakṣetraṃ bhaviṣyati samaṃ ramaṇīyaṃ prāsādikaṃ darśanīyaṃ[34] pariśuddhaṃ ca sphītaṃ carddhaṃ[35] ca kṣemaṃ ca subhikṣaṃ ca bahunaradevaparipūrṇaṃ ca[36] vaiḍūryamayaṃ suvarṇasūtrāṣṭāpadanibaddham. teṣu cāṣṭāpadeṣu[37] ratnavṛkṣā bhaviṣyanti saptānāṃ ratnānāṃ puṣpaphalaiḥ satatasamitaṃ samarpitāḥ. so 'pi Śāriputra Padmaprabhas tathāgato 'rhan samyaksaṃbuddhas trīṇy eva yānāny ārabhya dharmaṃ deśayiṣyati. kiṃ cāpi Śāriputra sa tathāgato na kalpakaṣāya utpatsyate, api tu praṇidhānavaśena dharmaṃ deśayiṣyati. Mahāratnapratimaṇḍitaś ca nāma Śāriputra sa kalpo bhaviṣyati. tat kiṃ manyase Śāriputra kena kāraṇena sa kalpo Mahāratnapratimaṇḍita ity ucyate. ratnāni Śāriputra buddhakṣetre bodhisattvā ucyante. te tasmin kalpe[38] tasyāṃ Virajāyāṃ lokadhātau bahavo bodhisattvā bhaviṣyanty aprameyāsaṃkhyeyācintyātulyāmāpyā gaṇanāvītivṛttā[39] anyatra tathāgatagaṇanayā. tena kāraṇena sa kalpo Mahāratnapratimaṇḍita ity ucyate. tena khalu punaḥ Śāriputra samayena bodhisattvās tasmin buddhakṣetre yadbhūyasā[40] ratnapadmavikrāmiṇo[40a] bhaviṣyanti. anādikarmikāś ca te bodhisattvā bhaviṣyanti ciracaritakuśalamūlā bahubuddhaśatasahasracīrṇabrahmacaryās tathāgataparisaṃstutā buddhajñānābhiyuktā[41] mahābhijñāparikarmanirjātāḥ sarvadharmanayakuśalā mārdavāḥ smṛtimantaḥ. bhūyiṣṭhaṃ[42] Śāriputraivaṃrūpāṇāṃ bodhisattvānāṃ paripūrṇaṃ tad buddhakṣetraṃ bhaviṣyati. tasya khalu punaḥ Śāriputra Padmaprabhasya tathā-

28. O mayā, but see D. anuśikṣati; 'and you have long been imitating me.' **29.** see D. saṃmantrita. **30.** O; edd. om. (hapl.) with Nep. **31.** O ('constantly'), for sūtrāntaṃ °vaipulyaṃ °ttvāvavādaṃ. **32.** v.l. incl. O, for °pūrya. **33.** O ('regularly', with Pali in this cliché), for devānāṃ ca manuṣyāṇāṃ ca. **34.** v.l. incl. O (as later in this cliché, cf. KN 144.10), for paramasudarś°. **35.** no v.l.; I would lay a bet that the mss. read ca ṛddhaṃ. **36.** O (cf. KN 151.10), for bahujananārīgaṇākīrṇaṃ ca maruprakīrṇaṃ ca. **37.** instead of °padanibaddhaṃ. teṣu . . ., O °padīkṛtaṃ sarvatra cāṣṭāpade; but elsewhere (vi)nibaddha (D.) is used in this cliché. **38.** O, for kāle. **39.** O, for gaṇanāṃ (all mss. °nā) samatikrāntā. **40.** O °bhūyaso (Skt. °śo). **40a.** Chin. 'with precious flowers supporting their feet'. **41.** O seems to be said to read buddhayānābhi°; this could properly be read. **42.** O, for °ṣṭhena.

gatasya dvādaśāntarakalpam[43] āyuṣpramāṇaṃ bhaviṣyati sthāpayitvā kumārabhūtatvam. teṣāṃ ca sattvānām aṣṭāntarakalpā āyuṣpramāṇaṃ bhaviṣyati. sa ca Śāriputra Padmaprabhas tathāgato dvādaśānām antarakalpānām atyayena Dhṛtiparipūrṇaṃ nāma bodhisattvaṃ mahāsattvaṃ vyākṛtvānuttarāyāṃ[44] samyaksaṃbodhau parinirvāsyati. ayaṃ bhikṣavo Dhṛtiparipūrṇo bodhisattvo mahāsattvo mamānantaram[45] anuttarāṃ samyaksaṃbodhim abhisaṃbhotsyate. Padmavṛṣabhavikramo[46] nāma tathāgato 'rhan samyaksaṃbuddho loke bhaviṣyati vidyācaraṇasampannaḥ sugato lokavid anuttaraḥ puruṣadamyasārathiḥ śāstā devamanuṣyāṇāṃ[47] buddho Bhagavān. tasyāpi Śāriputra Padmavṛṣabhavikramasya tathāgatasyaivaṃrūpam eva buddhakṣetraṃ bhaviṣyati. tasya khalu punaḥ Śāriputra Padmaprabhasya tathāgatasya parinirvṛtasya dvātriṃśadantarakalpān saddharmaḥ sthāsyati. tatas tasya tasmin saddharma[48] kṣīṇe dvātriṃśadantarakalpān saddharmapratirūpakaḥ[49] sthāsyati. atha khalu Bhagavāṃs tasyāṃ velāyām imā gāthā abhāṣata:

23. bhaviṣyase Śārisutā tuhaṃ[50] pi
    anāgate 'dhvāni jinas tathāgataḥ
    Padmaprabho nāma samantacakṣuḥ[51]
    vineṣyase prāṇisahasrakoṭyaḥ

24. bahubuddhakoṭīṣu karitva satkriyāṃ
    caryābalaṃ tatra upārjayitvā
    utpādayitvā ca daśo balāni
    spṛśiṣyase uttamam agrabodhim

25. acintiye aparimitasmi kalpe
    prabhūtaratnas tada kalpu bheṣyati
    Virajā ca nāmā[52] tada lokadhātuḥ
    kṣetraṃ viśuddhaṃ dvipadottamasya

26. vaiḍūryasaṃstīrṇa tathaiva bhūmiḥ
    suvarṇasūtrapratimaṇḍitā ca
    ratnāmayair vṛkṣaśatair upetā
    sudarśanīyaiḥ phalapuṣpamaṇḍitaiḥ

27. smṛtimanta tatrā[53] bahu bodhisattvāḥ
    caryābhinirhārasukovidāś ca
    ye śikṣitā buddhaśateṣu caryāṃ
    te tatra kṣetre upapadya santi

28. sa[54] caj jinaḥ paścimake samucchraye
    kumārabhūmīm atināmayitvā
    jahitva kāmān abhiniṣkramitvā
    spṛśiṣyate uttamam agrabodhim

29. sama dvādaśā antarakalpa tasya
    bhaviṣyate āyu tadā jinasya

43. three mss., for (two mss.) °pā; O °kalpa-n- (cf. §4.65; but prob. °kalpān, acc. pl., was intended; this seems to be what O is said to read for °kalpā in next sentence). **44.** edd. vyākṛtyā° with only 1 ms. **45.** misprinted mamātant° in KN (mss. mamānt°, mamāntarād; Tib. ṅaḥi ḥog tu). **46.** O, for °vikrāmī, also below. **47.** see n. 33. **48.** §8.11, end. **49.** adj.; sc dharmaḥ. **50.** §20.8. **51.** all mss., for °kṣur. **52.** O, for (em.) nāmnā; Nep. mss. nāmnas. **53.** most mss. incl. O reported tatra (unmetr.); edd. tasmin. **54.** most mss. incl. O, for so

manujān' apī[55] antarakalpa aṣṭa
āyuṣpramāṇaṃ tahi teṣa bheṣyati
30. parinirvṛtasyāpi jinasya tasya
dvātriṃśatī[56] antarakalpa pūrṇām[56a]
saddharma saṃsthāsyati tasmi kāle
hitāya lokasya sadevakasya
31. saddharmi[57] kṣīṇe pratirūpako 'sya
dvātriṃśatī antarakalpa sthāsyati
śarīra vaistārika tasya tāyinaḥ
susatkṛto naramarutaiś ca nityam
32. etādṛśaḥ so Bhagavān bhaviṣyati
prahṛṣṭa tvaṃ Śārisutā bhavasva
tvam eva so tādṛśako bhaviṣyasi
anābhibhūto dvipadāna[58] uttamaḥ

atha khalu tāś catasraḥ parṣado bhikṣubhikṣuṇyupāsakopāsikā devanāgayakṣagandharvāsuragaruḍakiṃnaramahoragamanuṣyāmanuṣyaśatasahasrāṇi[59] āyuṣmataḥ Śāriputrasyedaṃ vyākaraṇam anuttarāyāṃ samyaksaṃbodhau Bhagavato 'ntikāt saṃmukhaṃ śrutvā tuṣṭā udagrā āttamanasaḥ pramuditāḥ prītisaumanasyajātāḥ svakasvakaiś cīvarair Bhagavantam abhicchādayām āsuḥ. Śakraś ca devānām indro Brahmā ca Sahāṃpatir anyāś ca devaputraśatasahasrakoṭyo Bhagavantaṃ divyair vastrair abhicchādayām āsuḥ, divyaiś ca māndāravair mahāmāndāravaiś ca puṣpair abhyavakiranti sma, divyāni ca vastrāṇy upary antarīkṣe bhrāmayanti sma, divyāni ca tūryaśatasahasrāṇi dundubhayaś copary antarīkṣe parāhanitsu,[60] mahantaṃ ca puṣpavarṣam abhipravarṣayitvaivaṃ ca vācaṃ bhāṣante sma: pūrvaṃ Bhagavatā Vārāṇasyām Ṛṣipatane mṛgadāve dharmacakraṃ pravartitam idaṃ punar Bhagavatādyānuttaraṃ dvitīyaṃ dharmacakraṃ pravartitam. te ca devaputrās tasyāṃ velāyām imā gāthā abhāṣanta:

33. dharmacakraṃ pravartesi loke apratipudgala
Vārāṇasyāṃ mahāvīra skandhānām udayaṃ vyayam
34. prathamaṃ pravartitaṃ tatra dvitīyam iha nāyaka
duḥśrāddheyam idaṃ dharmaṃ deśitaṃ adya śāstṛṇā[61]
35. bahu dharmaḥ śruto 'smābhir lokanāthasya saṃmukham
na cāyam īdṛśo dharmaḥ śrutapūrvaḥ kadācana
36. anumodāma mahāvīra saṃdhābhāṣyaṃ maharṣiṇām
yathāryo vyākṛto hy eṣa Śāriputro viśāradaḥ
37. vayam apy edṛśāḥ syāmo buddhā loke anuttarāḥ
saṃdhābhāṣyeṇa deśento buddhabodhim anuttarām
38. yac chubhaṃ[62] kṛtam asmābhir asmiṃ[63] loke paratra vā

55. Nep. mss. (in KN note misprinted °ayī) and WT, for (O) °jānam abhy-; in pāda a, O also reads dvādaśābhyantara°, tho here KN with Nep.; I have noted otherwise no case of abhyantara- (for usual antara-) kalpa, nor does Pali show abbhan°. **56.** mss., for (em.) °tīṃ. **56a.** §8.90. **57.** edd. with O; perh. read °ma with Nep. mss., cf. n. 48. **58.** O and 1 Nep. ms. for °nam. **59.** O, for °ṣyāmanuṣyā. **60.** O, for °nanti sma. **61.** ? so O (śāstṛṇāṃ, em. KN; §13.38); Nep. mss. vary in first half, but lack the word dharma; in 2d half Nep. deśito 'dya vināyaka; Tib. indicates vināyaka, and lacks dharma (but also lacks any of the Nep. substitutes for it). **62.** WT with K' and Tib., for chrutaṃ (t and bh often confused). **63.** mss., for asmiṃl.

ārāgitaś ca saṃbuddhaḥ[64] prārthanā bhotu bodhaye

atha khalv āyuṣmāñ Śāriputro Bhagavantam etad avocat: niṣkāṅkṣo 'smi Bhagavan vigatakathaṃkatho Bhagavato 'ntikāt saṃmukham idam ātmano vyākaraṇaṃ śrutvānuttarāyāṃ samyaksaṃbodhau. yāni cemāni Bhagavan dvādaśa vaśībhūtaśatāni Bhagavatā pūrvaṃ śaikṣabhūmau sthāpitāny evam avavaditāny evam anuśiṣṭāny abhūvan: etatparyavasāno me bhikṣavo dharmavinayo yad idaṃ jātijarāvyādhimaraṇasamatikramo[65] nirvāṇasamavasaraṇaḥ. ime ca Bhagavan dve bhikṣusahasre śaikṣāśaikṣāṇāṃ Bhagavataḥ śrāvakāṇāṃ sarveṣām ātmadṛṣṭibhavadṛṣṭivibhavadṛṣṭisarvadṛṣṭivivarjitānāṃ[66] nirvāṇabhūmisthitā sma ity ātmānaṃ[67] saṃjānatāṃ te Bhagavato 'ntikād idam[68] evaṃrūpam aśrutapūrvaṃ dharmaṃ śrutvā kathaṃkathām āpannāḥ. tat sādhu Bhagavān bhāṣatām eṣāṃ bhikṣūṇāṃ kaukṛtyavinodanārthaṃ yathā Bhagavann etāś catasraḥ parṣado niṣkāṅkṣā nirvicikitsā bhaveyuḥ. evam ukte Bhagavān āyuṣmantaṃ Śāriputram etad avocat: nanu te mayā Śāriputra pūrvam evākhyātaṃ yathā nānābhinirhāranirdeśavividhahetukāraṇanidarśanārambaṇaniruktyupāyakauśalyair nānādhimuktānāṃ sattvānāṃ nānādhātvāśayānām[69] āśayaṃ viditvā tathāgato 'rhan samyaksaṃbuddho dharmaṃ deśayati. imām evānuttarāṃ samyaksaṃbodhim ārabhya sarvadharmadeśanābhir bodhisattvayānam eva samādāpayati. api tu khalu punaḥ Śāriputraupamyaṃ te kariṣyāmi asyaivārthasya bhūyaso[70] mātrayā saṃdarśanārtham. tat kasya hetoḥ. upamayehaikatyā vijñapuruṣā bhāṣitasyārtham ājānanti.

tadyathāpi nāma Śāriputreha syāt kasmiṃścid eva grāme vā nagare vā nigame vā janapade vā janapadapradeśe vā rāṣṭre vā rājadhānyāṃ vā gṛhapatir jīrṇo vṛddho mahallako 'bhyatītavayo 'nuprāpta āṭhyo[71] mahādhano mahābhogaḥ. mahantaṃ[72] cāsya niveśanaṃ bhaved ucchritaṃ ca vistīrṇaṃ ca cirakṛtaṃ ca jīrṇaṃ ca dvayor vā trayāṇāṃ vā caturṇāṃ vā pañcānāṃ vā prāṇiśatānām[73] āvāsaḥ; ekadvāraṃ ca[74] bhavet, tṛṇasaṃchannañ ca bhavet, vigaḍitaprāsādaṃ ca bhavet, pūtistambhamūlaṃ ca bhavet, saṃśīrṇakuḍyakaṭalepanaṃ ca bhavet. tac ca sahasaiva mahatāgniskandhena sarvapārśveṣu[75] pradīptaṃ bhavet. tasya ca puruṣasya bahavaḥ kumārakāḥ syuḥ pañca vā daśa vā viṃśatir vā sa ca puruṣas tasmān niveśanād bahir nirgataḥ syāt. atha khalu Śāriputra sa puruṣas taṃ svakaṃ niveśanaṃ mahatāgniskandhena samantāt saṃprajvalitaṃ dṛṣṭvā bhītas trasta udvignacitto bhaved evaṃ cānuvicintayet: pratibalo 'ham anena mahatāgniskandhenāsaṃspṛṣṭo 'paridagdhaḥ kṣipram eva svastināsmād gṛhād ādīptād dvāreṇa nirgantuṃ nirdhāvitum. api tu khalu[76] ya ime mamaiva putrā bālakāḥ kumārakā asminn eva niveśana ādīpte tais-taiḥ krīḍanakaiḥ krīḍanti ramanti paricārayanti. imaṃ cāgāram ādīptaṃ na jānanti na budhyante na vidanti na cetayanti nodvegam āpadyante. saṃtapyamānā apy anena mahatāgniskandhena mahatā ca duḥkhaskandhena spṛṣṭāḥ samānā na

64. O ārādhitaś (Sktizing) ca yad (so KN, but Tib. saṃ- with Nep.) buddhaḥ. 65. both edd. add śoka after maraṇa, with no v.l.; but it is not in K', Tib., or Chin., and is prob. a careless error (one of many!) in KN, kept (as often) without note in WT. 66. KN om. bhavadṛṣṭi (hapl.); text WT with K and Tib. 67. so K ; KN ātmāna (misprint?); WT em. ātmanaḥ. 68. all mss., for (em.) imam. 69. D. dhātu (4). 70. O, for °yasyā. 71. D. 72. O, for mahac; most Nep. mss. mahāntaṃ. 73. Chin. 'people' for prāṇi. 74. edd. add tan niveśanaṃ, with 1 Nep. ms. only. 75. edd. add sarvāvantaṃ niveśanaṃ with some Nep. mss. 76. edd. om. khalu with some Nep. mss.

duḥkhaṃ manasikurvanti, nāpi nirgamanamanasikāram utpādayanti. sa ca Śāriputra puruṣo balavān bhaved bāhubalikaḥ. sa evam anuvicintayed aham asmi balavān bāhubalikaś ca. yan nv ahaṃ sarvāṇīmāni kumārakāny[77] ekapiṇḍayitvotsaṅgenādāyāsmād gṛhān nirgamayeyam. sa punar evam anuvicintayet: idaṃ khalu niveśanam ekapraveśaṃ saṃvṛtadvāram eva kumārakāś capalāś cañcalā bālajātīyāś ca mā haiva paribhrameyuḥ te 'nena mahatāgniskandhenānayavyasanam āpadyeran. yan nūnam aham etān saṃcodayeyam iti pratisaṃkhyāya tān kumārakān āmantrayate sma: āgacchatha[78] bhavantaḥ kumārakāho[79] nirgacchatha.[78] ādīptam idaṃ gṛhaṃ mahatāgniskandhena. mā haivātraiva sarve 'nena mahatāgniskandhena dāham āsādyānayād vyasanam[79a] āpatsyatheti.[80] atha khalu te kumārakā evaṃ tasya hitakāmasya puruṣasya tad bhāṣitaṃ nāvabudhyante nodvijanti nottrasanti na saṃtrasanti na saṃtrāsam āpadyante na vicintayanti na nirdhāvanti na tulayanti[81] na vijānanti kim etad ādīptaṃ nāmeti, anyatra tena-tenaiva dhāvanti vidhāvanti punaḥ-punaś ca taṃ pitaram avalokayanti. tat kasya hetoḥ. yathāpīdaṃ bālabhāvatvāt.

atha khalu sa puruṣa evam anuvicintayet: ādīptam idaṃ niveśanaṃ mahatāgniskandhena saṃpradīptaṃ mā haivāhaṃ ceme ca kumārakā ihaivānena mahatāgniskandhenānayavyasanam āpatsyāmahe. yan nv aham upāyakauśalyenemān kumārakān asmād gṛhān niṣkāsayeyaṃ.[82] sa ca puruṣas teṣāṃ kumārakāṇām āśayajño bhaved adhimuktiṃ ca vijānīyāt. teṣāṃ ca kumārakāṇām anekavidhāny anekāni krīḍāpanakāni[83] bhaveyur vividhāni ca ramaṇīyakānīṣṭāni kāntāni priyāṇi manāpāni[84] tāni ca durlabhāni bhaveyuḥ. atha khalu sa puruṣas teṣāṃ kumārakāṇām āśayaṃ jānaṃs tān kumārakān etad avocat: yāni tāni kumārakā yuṣmākaṃ krīḍanakāni ramaṇīyakāny āścaryādbhutāni yeṣām alābhāt saṃtāpam āpadyatha[85] nānāvarṇāni bahuprakārāṇi, tadyathā gorathakāny ajarathakāni mṛgarathakāni, yāni bhavatām iṣṭāni kāntāni priyāṇi manaāpāni, tāni ca mayā sarvāṇi bahir niveśanadvāre sthāpitāni yuṣmākaṃ krīḍanahetoḥ. āgacchantu bhavanto nirdhāvantv asmān niveśanād ahaṃ vo yasya-yasya yenārtho yena prayojanaṃ bhaviṣyati tasmai-tasmai tat pradāsyāmi. āgacchatha[86] śīghraṃ teṣāṃ kāraṇaṃ nirdhāvatha.[86] atha khalu te kumārakās teṣāṃ krīḍanakānāṃ ramaṇīyakānāṃ[86a] yathepsitānāṃ yathāsaṃkalpitānām iṣṭānāṃ kāntānāṃ priyāṇāṃ manaāpānāṃ nāmadheyāni śrutvā tasmād ādīptād agārāt kṣipram evārabdhavīryā balavatā javenānyonyam apratīkṣamāṇāḥ kaḥ prathamaṃ kaḥ prathamataram ity anyonyaṃ saṃghaṭṭitakāyās tasmād ādīptād agārāt kṣipram eva nirdhāvitāḥ.

atha sa puruṣaḥ kṣemasvastinā tān kumārakān nirgatān[87] dṛṣṭvābhayaprāptān iti viditvākāśe grāmacatvara upaviṣṭaḥ prītiprāmodyajāto nirupādāno vigatanīvaraṇo[88] 'bhayaprāpto bhavet. atha khalu te kumārakā yena sa pitā tenopasaṃkrameyur upasaṃkramitvaivaṃ[89] vadeyuḥ: dehi nas tāta tāni vivi-

77. mss. (Nep' sarvāṇimāṃ k°), for (em.) sarvān imān kumārakān; see §§6.4, 6; 8.98; 2.39. **78.** v.l. incl' O for °ta. **79.** O (§8.88) for °kā. **79a.** O (err. vāham for dāham), for dhakṣyathānaya-vya°. **80.** O, for °tha. **81.** O, for nāpi jānanti. **82.** O, for niṣkrāmayeyam. **83.** v.l. incl. O, for krīḍanakāni. **84.** all mss. incl. O, except one, for manaāpāni. **85.** O, for alābhāt saṃtapyatha. **86.** v.l. incl. O, for °ta. **86a.** both edd. add arthāya, which KN's note says is omitted in only two mss.; I suspect it is omitted in most of them; it seems clearly out of place, and must have been lacking in the mss. translated by both Burnouf and Kern. **87.** O parimuktā(n); read so? **88.** O, for °nivarano. **89.** O, for °samkrāmann upasamkramyaivaṃ.

dhāni krīḍanakāni ramaṇīyakāni,[90] tadyathā gorathakāny ajarathakāni mṛgarathakāni. atha khalu Śāriputra sa puruṣas teṣāṃ svakānāṃ putrāṇāṃ vātajavasaṃpannān gorathakān evānuprayacchet saptaratnamayān savedikān sakiṅkiṇījālābhipralambitān uccāpragṛhītān[91] āścaryādbhutaratnālaṃkṛtān ratnadāmakṛtaśobhān puṣpamālyālaṃkṛtāṃs tūlikāgoṇikāstaraṇān dūṣyapaṭapratyāstīrṇān ubhayato lohitopadhānāñ śvetaiḥ prapāṇḍaraiḥ śīghrajavair goṇair yojayitvā[92] bahupuruṣaparigṛhītān savaijayantān gorathakān eva vātabalajavasaṃpannān ekavarṇān ekavidhān ekaikasya dārakasya dadyāt. tat kasya hetoḥ. tathā hi Śāriputra sa puruṣa āḍhyaś ca bhaven mahādhanaś ca prabhūtakośakoṣṭhāgāraś ca,[93] evaṃ manyed[94] alaṃ ma eṣāṃ kumārakāṇām anyair yānair dattais[95] tat kasya hetoḥ, sarva evaite kumārakā mamaiva putrāḥ sarve ca me priyā manāpāḥ.[96] saṃvidyante ca me[97] imāny evaṃrūpāṇi mahāyānāni samaṃ ca mayaite kumārakāḥ sarve cintayitavyā na viṣamam. aham api bahukośakoṣṭhāgāraḥ sarvasattvānām apy aham imāny evaṃrūpāṇi mahāyānāni dadyām, kim aṅga punaḥ svakānāṃ putrāṇām. te ca dārakās tasmin samaye teṣu mahāyāneṣv abhiruhyāścaryādbhutaprāptā bhaveyuḥ. tat kiṃ manyase Śāriputra mā haiva tasya puruṣasya mṛṣāvādaḥ syād yena teṣāṃ dārakāṇāṃ pūrvaṃ trīṇi yānāny upadarśayitvā paścāt sarveṣāṃ mahāyānāny eva dattāny udārayānāny eva dattāni.

Śāriputra āha: na hy etad Bhagavan na hy etat sugata. anenaiva tāvad Bhagavan kāraṇena sa puruṣo na mṛṣāvādī bhaved yat tena puruṣeṇopāyakauśalyena te dārakās[98] tasmād ādīptād gṛhān niṣkrāmitā[99] jīvitena cābhicchāditāḥ. tat kasya hetoḥ. ātmabhāvapratilambhenaiva Bhagavan sarvakrīḍanakāni labdhāni bhavanti. yady api tāvad Bhagavan sa puruṣas teṣāṃ kumārakāṇām ekaratham api na dadyāt tathāpi tāvad Bhagavan sa puruṣo na mṛṣāvādī bhavet. tat kasya hetoḥ. tathā hi Bhagavaṃs tena puruṣeṇa pūrvam evaivam anuvicintitam upāyakauśalyenāham imān kumārakān[100] tasmān mahato duḥkhaskandhāt parimocayiṣyāmīti. anenāpi Bhagavan paryāyeṇa tasya puruṣasya na mṛṣāvādo bhavet. kaḥ punar vādo yat tena puruṣeṇa prabhūtakośakoṣṭhāgāram astīti kṛtvā putrapriyatām eva manyamānena ślāghamānenaikavarṇāny[1] ekayānāni dattāni yad idaṃ[2] mahāyānāni. nāsti Bhagavaṃs tasya puruṣasya mṛṣāvādaḥ.

evam ukte Bhagavān āyuṣmantaṃ Śāriputram etad avocat: sādhu sādhu Śāriputra, evam etac Chāriputra, evam etad yathā vadasi. evam eva Śāriputra tathāgato 'rhan samyaksaṃbuddhaḥ sarvabhayavinivṛttaḥ sarvopadravopāyāsopasargaduḥkhadaurmanasyāvidyāndhakāratamastimirapaṭalaparyavanāhebhyaḥ sarveṇa sarvaṃ sarvathā vipramuktaḥ. tathāgato jñānabalavaiśāradyāveṇikabuddhadharmasamanvāgata ṛddhibalenātibalavāṃl lokapitā mahopāyakauśalyajñānadarśanaparamapāramitāprāpto[3] mahākāruṇiko 'parikhinnamānaso hitaiṣy anukampakaḥ. sa traidhātuke mahatā duḥkhadaurmanasyaskandhenādīptajīrṇapaṭalaśaraṇaniveśanasadṛśa utpadyate sattvānāṃ jātijarāvyādhimaraṇaśokaparidevaduḥkhadaurmanasyopāyāsāvidyāndhakārata-

90. O, for °ṇīyāni. **91.** D. uccā. **92.** v.l. incl. O, for yojitān. **93.** edd. add sa with 2 Nep mss. **94.** WT with v.l. incl. O and Tib., for paśyet. **95.** O, for dattair iti. **96.** all mss. for (em.) manaāpāḥ. **97.** all mss., for (em.) ma. **98.** O bāla-dār°. **99.** O, for niṣkāsitā **100.** all mss., for °kāṃs. **1.** D. ślāghate. **2.** v.l. incl. O, for uta. **3.** darśana O, om. edd with Nep.

mastimirapaṭalaparyavanāhapratiṣṭhānāṃ rāgadveṣamohaparimocanahetor anuttarāyāṃ samyaksaṃbodhau samādāpanahetoḥ. sa utpannaḥ samānaḥ paśyati sattvān dahyataḥ pacyamānāṃs tapyamānān paritapyamānāñ jātijarāvyādhimaraṇaśokaparidevaduḥkhadaurmanasyopāyāsaiḥ paribhoganimittaṃ ca kāmahetunidānaṃ cānekavidhāni duḥkhāni pratyanubhavanti. dṛṣṭadhārmikaṃ ca paryeṣṭinidānaṃ parigrahanidānaṃ ca sāṃparāyikaṃ narakatiryagyoniyamalokeṣv anekavidhāni duḥkhāni pratyanubhavanti,[4] devamanuṣyadāridryam aniṣṭasaṃyogam iṣṭavinābhāvikāni ca duḥkhāni pratyanubhavanti. tatraiva ca duḥkhaskandhe parivartamānāḥ krīḍanti ramante paricārayanti nottrasanti na saṃtrasanti na saṃtrāsam āpadyante na budhyante na cintayanti[5] nodvijanti na niḥsaraṇaṃ paryeṣante tatraiva cādīptāgārasadṛśe traidhātuke 'bhiramanti tena-tenaiva vidhāvanti. tena ca mahatā duḥkhaskandhenābhyāhatā na duḥkhamanasikārasaṃjñām utpādayanti.

tatra Śāriputra tathāgata evaṃ paśyati: ahaṃ khalv eṣāṃ sattvānāṃ pitā. mayā hy ete sattvā asmād evaṃrūpān mahato duḥkhaskandhāt parimocayitavyā mayā caiṣāṃ sattvānām aprameyam acintyaṃ buddhajñānasukhaṃ dātavyaṃ yenaite sattvāḥ krīḍiṣyanti ramiṣyanti paricārayiṣyanti vikrīḍitāni[6] kariṣyanti. tatra Śāriputra tathāgata evaṃ paśyati: saced ahaṃ jñānabalo 'smīti kṛtvarddhibalo 'smīti kṛtvānupāyenaiṣāṃ sattvānāṃ tathāgatajñānadarśanabalavaiśāradyāni[7] saṃśrāvayeyaṃ naite sattvā ebhir dharmair niryāyeyuḥ. tat kasya hetoḥ. adhyavasitā hy amī sattvāḥ pañcasu kāmaguṇeṣu traidhātukaratyām aparimuktā jātijarāvyādhimaraṇaśokaparidevaduḥkhadaurmanasyopāyāsebhyo dahyante pacyante tapyante paritapyante. anirdhāvitās traidhātukād ādīptajīrṇapaṭalaśaraṇaniveśanasadṛśāt katham ete buddhajñānaṃ paribudhyeyuḥ.[8] tatra Śāriputra tathāgato tadyathāpi[9] nāma sa puruṣo bāhubalikaḥ sthāpayitvā bāhubalam upāyakauśalyena tān kumārakāṃs tasmād ādīptād agārān niṣkrāmayati[10] niṣkrāmayitvā[10] ca teṣāṃ paścād udārāṇi mahāyānāni dadyāt, evam eva Śāriputra tathāgato 'py arhan samyaksaṃbuddhaḥ tathāgatajñānabalavaiśāradyasamanvāgataḥ sthāpayitvā tathāgatajñānabalavaiśāradyam[11] upāyakauśalyajñānenādīptajīrṇapaṭalaśaraṇaniveśanasadṛśāt traidhātukāt sattvānāṃ niṣkāsanahetos trīṇi yānāny upadarśayati yad idaṃ[12] śrāvakayānaṃ pratyekabuddhayānaṃ bodhisattvayānam iti. tribhiś ca yānaiḥ sattvāṃl lobhayaty evaṃ caiṣāṃ vadati: mā bhavanto 'sminn ādīptāgārasadṛśe traidhātuke 'bhiramatha[13] hīneṣu rūpaśabdagandharasasparśeṣu. atra hi yūyaṃ traidhātuke 'bhiratāḥ pañcakāmaguṇasahagatayā tṛṣṇayā dahyatha tapyatha paritapyatha. nirdhāvatha[14] asmāt traidhātukāt trīṇi yānāny anuprāpsyatha yad idaṃ śrāvakayānaṃ pratyekabuddhayānaṃ bodhisattvayānam iti. ahaṃ vo 'tra sthāne pratibhūr ahaṃ vo dāsyāmy etāni trīṇi yānāny abhiyujyatha[15] traidhātukān niḥsaraṇahetoḥ. evaṃ caitāṃl lobhayāmi: etāni bhoḥ sattvā yānāny āryāṇi cāryapraśastāni ca mahāramaṇīyakasamanvāgatāni cākṛpaṇam etair bhavantaḥ krīḍiṣyatha ramiṣyatha paricārayiṣyatha. indriyabalabodhyaṅgadhyānavimok-

4. most mss., for °viṣyanti (one Nep. ms.). 5. O, for cetayanti. 6. edd. add ca with 2 mss. 7. darśana O, om. edd. with Nep. 8. O, for paribhotsyante. 9. WT with O and Tib., for yad°. 10. O, for niṣkāsayen niṣkāsayitvā (some Nep. mss. have forms of niṣkram-). 11. O adds darśana after jñāna. 12. v.l. incl. O, for uta. 13. O, for °madhvam. 14. v.l. incl. O (which is cited °patha), for °vadhvam. 15. v.l. incl. O, for °yadhve.

ṣasamādhisamāpattibhiś[16] ca mahatīṃ ratiṃ pratyanubhaviṣyatha. mahatā ca sukhasaumanasyena samanvāgatā bhaviṣyatha.

tatra Śāriputra ye sattvāḥ paṇḍitajātīyā bhavanti te tathāgatasya lokapitur[17] abhiśraddhāsyanti.[18] abhiśraddadhitvā ca tathāgataśāsane 'bhiyujyanta udyogam āpadyante. tatra kecit sattvāḥ paraghoṣaśravānugamanam ākāṅkṣamāṇā ātmaparinirvāṇahetoś caturāryasatyānubodhāya tathāgataśāsane 'bhiyujyanti.[19] ta ucyante śrāvakayānam ākāṅkṣamāṇās traidhātukān nirdhāvanti tadyathāpi nāma tasmād ādīptād agārād anyatare dārakā mṛgaratham ākāṅkṣamāṇā nirdhāvitāḥ. anye sattvā anācāryakaṃ jñānaṃ damaśamatham ākāṅkṣamāṇā ātmaparinirvāṇahetor hetupratyayānubodhāya tathāgataśāsane 'bhiyujyanti.[19] ta ucyante pratyekabuddhayānam ākāṅkṣamāṇās traidhātukān nirdhāvanti tadyathāpi nāma tasmād ādīptād agārād anyatare dārakā ajaratham ākāṅkṣamāṇā niṣkrāntā īti.[19a] apare punaḥ sattvāḥ sarvajñajñānaṃ buddhajñānaṃ svayaṃbhujñānam anācāryakaṃ jñānam ākāṅkṣamāṇā bahujanahitāya bahujanasukhāya lokānukampāyai mahato janakāyasyārthāya hitāya sukhāya devānāṃ ca manuṣyāṇāṃ ca sarvasattvaparinirvāṇahetos tathāgatajñānabalavaiśāradyānubodhāya tathāgataśāsane 'bhiyujyante. ta ucyante mahāyānam ākāṅkṣamāṇās traidhātukān nirdhāvanti. tena kāraṇenocyante bodhisattvā mahāsattvā iti. tadyathāpi nāma tasmād ādīptād agārād anyatare dārakā goratham ākāṅkṣamāṇā niṣkrāntā-m-iti.[20]

tadyathāpi nāma Śāriputra sa puruṣas tān kumārakāṃs tasmād ādīptād agārān nirdhāvitān dṛṣṭvā kṣemeṇa svastinā[20a] parimuktān abhayaprāptān iti viditvātmānaṃ ca mahādhanaṃ viditvā teṣāṃ dārakāṇām ekam eva yānam udāram anuprayacchati,[21] evam eva Śāriputra tathāgato 'py arhan samyaksaṃbuddho yadā paśyaty anekāḥ sattvakoṭīs traidhātukāt parimuktā duḥkhabhayabhairavopadravaparimuktās tathāgataśāsanadvāreṇa[22] nirdhāvitāḥ parimuktāḥ sarvabhayopadravakāntārebhyo nirvṛtisukhaprāptāḥ. tān etāñ Śāriputra tasmin samaye tathāgato 'rhan samyaksaṃbuddhaḥ prabhūto mahājñānabalavaiśāradyakośa iti viditvā sarve caite mamaiva putrā iti jñātvā buddhayānenaiva tān sattvān parinirvāpayati. na ca kasyacit sattvasya pratyātmikaṃ parinirvāṇaṃ vadati. sarvāṃś ca tān sattvāṃs tathāgataparinirvāṇena mahāparinirvāṇena parinirvāpayati. ye cāpi te Śāriputra sattvās traidhātukāt parimuktā bhavanti teṣāṃ tathāgato dhyānavimokṣasamādhisamāpattaya[23] āryāṇi paramasukhāni krīḍanakāni ramaṇīyakāni dadāti sarvāṇy[24] ekavarṇāni. tadyathāpi nāma Śāriputra tasya puruṣasya na mṛṣāvādo bhavati[25] yena trīṇi yānāny upadarśayitvā teṣāṃ kumārakāṇām ekam eva mahāyānaṃ sarveṣāṃ dattaṃ saptaratnamayaṃ sarvālaṃkāravibhūṣitam ekavarṇam evodārayānam eva sarveṣām agrayānam eva dattaṃ,[26] evam eva Śāriputra tathāgato 'py arhan samyaksaṃbuddho na mṛṣāvādī bhavati yena pūrvam upāyakauśalyena trīṇi yānāny upadarśayitvā paścān mahāyānenaiva sattvān parinirvāpayati. tat kasya hetoh.

16. these are the ramaṇīyaka. **17.** several Nep. mss. °pitum, which cannot belong to §13.24 because it must agree with tathāgatasya; it could, however, represent pitu (= pituḥ) plus -m (§4.59); this verb takes gen. of person; O °pitur bhāṣitam, prob. expansion. **18.** v.l. incl. O, for °śraddadhanti. **19.** v.l. incl. O, for °nte. **19a.** O, for nirdhāvitāḥ. **20.** O (§4.59), for nirdhāvitāḥ. **20a.** O, for kṣema-svastibhyāṃ. **21.** O, for °cchet. **22.** WT with K', for °śāsane dv°. **23.** v.l. incl. O, for °ttīr. **24.** edd. add etāny with 1 Nep. ms. **25.** v.l. incl. O, for bhaved. **26.** edd. add bhavet with some Nep. mss. (not O).

tathāgato hi Śāriputra prabhūtajñānabalavaiśāradyakośakoṣṭhāgārasamanvāgataḥ pratibalaḥ sarvasattvānāṃ sarvajñajñānasahagataṃ dharmam upadarśayitum. anenāpi Śāriputra paryāyeṇaivaṃ veditavyam. yathopāyakauśalyajñānābhinirhārais tathāgata ekam eva mahāyānaṃ deśayati. atha khalu Bhagavāṃs tasyāṃ velāyām imā gāthā abhāṣata:[26a]

39. yathā hi puruṣasya bhaved agāraṃ
jīrṇaṃ mahantaṃ ca sudurbalaṃ ca
viśīrṇa prāsādu tathā bhaveta
stambhāś ca mūleṣu bhaveyu pūtikāḥ

40. gavākṣaharmyā gaḍitaikadeśāṃ[27]
viśīrṇa kuḍyaṃ kaṭa lepanaṃ ca
jīrṇa[28]-pravṛddhoddhṛtavedikaṃ[29] ca
tṛṇacchadaṃ sarvata opatantam

41. śatāna pañcāna anūnakānāṃ
āvāsu so tatra bhaveta prāṇinām
bahūni cā[30] niṣkuṭa[31] saṃkaṭāni
uccārapūrṇāni jugupsitāni

42. gopānasī vigaḍita tatra sarvā
kuḍyāś ca bhittīś ca tathaiva srastāḥ
gṛdhrāṇa koṭyo nivasanti tatra
pārāvatolūka tathānyapakṣiṇaḥ

43. āśīviṣā dāruṇa tatra santi
deśapradeśeṣu[32] mahāviṣogrāḥ
vicitrikā vṛścika mūṣikāś ca
vividhāna[33] āvāsu suduṣṭaprāṇinām

44. deśe ca deśe amanuṣya bhūyo[34]
uccāraprasrāvavināśitaṃ ca
kṛmikīṭakhadyotakapūritaṃ[35] ca
śvabhiḥ śṛgālaiś ca nināditaṃ ca

45. bheruṇḍakā dāruṇa tatra santi
manuṣyakuṇapāni ye[36] bhakṣayanti[37]
teṣāṃ ca niryāṇu[38] pratīkṣamāṇāḥ
śvānaḥ śṛgālāś ca vasanty aneke

46. te durbalā nitya kṣudhābhibhūtā
deśeṣu-deśeṣu vikhādamānāḥ
kalahaṃ karontāś ca ninādayanti
subhairavaṃ tad gṛham evarūpam

26a. The verse version greatly expands the prose, especially in describing the horrors. My pupil A. H. Yarrow has called my attention to the fact that in these expansions, the verbs are nearly all indicatives, while in the parts which correspond to the prose, they are mostly optatives, as usually in the prose. Were the expansions added later? **27.** all Nep. mss. (§8.85), for (em.) °śā; O 'quite different' (not quoted). **28.** WT with K′ jīrṇu. **29.** WT with O and K′, for pravṛddhaṃ dhuta°; D. vedikā. **30.** WT and Nep., for KN with O ca (unmetr.). **31.** D. **32.** WT with K′, for deśe pra°. **33.** O, for etāna. **34.** O amanujñā (read °jña; D. manujña) bhūmayaḥ; but Tib. with text. **35.** WT with K′ (°taś) and Tib., for °pūtikaṃ (implausible; due to prec.). **36.** O (§3.64); or read yi (= ye), or with WT and K′ ca, for vi-. **37.** O, for °taḥ. **38.** D.(1).

47 suraudracittā pi vasanti yakṣā
manuṣyakuṇapāni vikaḍḍhamānāḥ
deśeṣu-deśeṣu vasanti tatra
śatapādikā[39] goṇasakāś[40] ca vyāḍāḥ
48. deśeṣu-deśeṣ' upanikṣipanti[41]
te potakāny ālayakāni[42] kṛtvā
nyastāni-nyastāni ca tāni teṣāṃ
te yakṣa bhūyo paribhakṣayanti
49. yadā ca te yakṣa bhavanti tṛptāḥ
parasattva khāditva suraudracittāḥ
parasattvamāṃsaiḥ paritṛptagātrāḥ
kalahaṃ tadā tatra karonti tīvram
50. vidhvastalayaneṣu[43] vasanti tatra
kumbhāṇḍakā dāruṇaraudracittāḥ
vitastimātrās tatha hastamātrā
dvihastamātrā-m-anucaṅkramanti[44]
51. te cāpi śvānān parigṛhya pādair
uttānakāṃ[44a] kṛtva tathaiva bhūmau
grīvāsu cotpīḍy' atha bhatsayanto[45]
vyābādhayantaś[46] ca ramanti tatra
52. nagnāś[47] ca kṛṣṇāś ca tathaiva durbalā
uccā mahantāś ca vasanti pretāḥ
jighatsitā bhojana mārgamāṇā
ārtasvaraṃ krandiṣu tatra-tatra
53. sūcīmukhā goṇamukhāś ca kecin
manuṣyamātrās[48] tatha śvānamātrāḥ[48]
prakīrṇakeśāś ca karonti śabdam
āhāratṛṣṇā paridahyamānāḥ
54. caturdiśaṃ cātra vilokayanti
gavākṣa-ullokanakehi nityam
te yakṣa pretāś ca piśācakāś ca
gṛdhrāś ca āhāra gaveṣamāṇāḥ
55. etādṛśaṃ bhairava[49] tad gṛhaṃ bhavet
mahantam uccaṃ ca sudurbalaṃ ca
vijarjaraṃ bhitvaru bhairavaṃ[50] ca
puruṣasya ekasya parigrahaṃ bhavet
56. sa ca bāhyataḥ syāt puruṣo gṛhasya
niveśanaṃ tac ca bhavet pradīptam
sahasā samantena caturdiśaṃ ca

39. O, for śatāpadī. **40.** mss., for (em.) goṇ°. **41.** O, for °ṣu ca ni- (3 mss. °śu pari-)kṣi°. **42.** v.l. incl. O, for °yanāni. **43.** Nep. mss., for (em.) °leneṣu; O cited as ūrdhvasthale tatra (impossible without replacement of following tatra); Tib. with text. **44.** O (§4.59), for °trāś c' anu°. **44a.** nearly all mss., for °kān. **45.** so some mss., for (em.) °ḍya vitaṃsayanto; D. bhats-, §2.17. **46.** ? D.; so (except vābā°) WT, em., for (em.) vyāyāsayantaś; mss. all variously corrupt. **47.** for (misprint) nānāś; D. nāna. **48.** v.l. amanuṣya°; O manuṣyavaktrās (and śvānavaktrāḥ?); Tib. as text. **49.** most mss. incl. O, for °vu. **50.** see D. bhit(t)vara.

jvālāsahasraiḥ paridīpyamānam
57. vaṃśāś ca dārūṇi ca agnitāpitāḥ
karonti śabdaṃ gurukaṃ subhairavam
pradīpta stambhāś ca tathaiva bhittayo
yakṣāś ca pretāś ca mucanti nādam
58. jalūṣitā[51] gṛdhraśatāś ca bhūyaḥ
kumbhāṇḍakāḥ proṣṭamukhā[52] bhramanti
samantato vyāḍaśatāś ca tatra
nadanti krośanti ca dahyamānāḥ
59. piśācakās tatra bahū bhramanti
saṃtāpitā agnina-m-alpapuṇyāḥ[53]
dantehi pāṭitva te[54] anyamanyaṃ
rudhireṇa siñcanti ca dahyamānāḥ
60. bheruṇḍakā kālagatāś ca tatra
khādanti sattvāś ca te[54] anyam-anyam
uccāra dahyaty amanojñagandhaḥ
pravāyate[55] loki caturdiśāsu
61. śatāpadīyo prapalāyamānāḥ
kumbhāṇḍakās tān[56] paribhakṣayanti
pradīptakeśāś ca bhramanti pretāḥ
kṣudhāya dāhena ca dahyamānāḥ
62. etādṛśaṃ bhairava tan niveśanaṃ
jvālāsahasrāṇi viniścaranti[57]
puruṣaś ca so tasya gṛhasya svāmī
dvārasmi asthāsi[57a] vipaśyamānaḥ
63. śṛṇoti cāsau svaka-m-[58] atra putrān
krīḍāpanaiḥ krīḍanasaktabuddhīn
ramanti tān krīḍanakapramattān[59]
yathāpi bālā avijānamānāḥ
64. śrutvā c' asau[59a] tatra praviṣṭu kṣipraṃ
pramocanārthāya tadātmajānām
mā mahya bālā imi sarva dārakā
dahyeyu naśyeyu ca kṣipram eva
65. sa bhāṣate teṣam agāradoṣān
duḥkhaṃ idaṃ bhoḥ kulaputra dāruṇam
vividhāś ca sattveha ayaṃ ca agni
mahantikā duḥkhaparaṃparātra

51. D. **52.** D. proṣṭa; O tatra bahū (lect. fac.). **53.** O, for °na mandapu°. **54.** §3.64. **55.** O cited pradāyatī, intending pravā°; perh. read this (m.c. for °ti). **56.** mss. (§9.99), for (em.) tāḥ. **57.** O, for °srair hi °caradbhiḥ. **57a.** in a ms. note of which I have a photostat, Burnouf left record of the MIndic reading atthāsi. **58.** mss., for (em.) svake; 'O quite different' (not quoted). **59.** all Nep. mss. tān °ttān (K' also, with ṃ for n), for (em.) te °ttāḥ; 'O different' (not quoted, unhappily). Perhaps there is some corruption, but the em. is too facile. The ms. forms can be construed as noms. (§8.85); I should prefer this to taking ramanti as active (a rare use in Skt., and not known to me in BHS), with krīḍanaka as nom. subject. **59a.** all mss., except one Nep. ca so (so edd.) and O ca sa (unmetr.).

66. āśīviṣā yakṣa suraudracittāḥ
kumbhāṇḍa pretā bahavo vasanti
bheruṇḍakā śvānaśṛgālasaṃghā
gṛdhrāś ca āhāra gaveṣamāṇāḥ
67. etādṛśāsmin[60] bahavo vasanti
vināpi cāgnyā[61] paramaṃ subhairavam
duḥkhaṃ idaṃ kevalam evarūpaṃ
samantataś cāgnir ayaṃ pradīptaḥ
68. te codyamānās tatha bālabuddhayaḥ
kumārakāḥ krīḍanake pramattāḥ
na cintayante pitaraṃ bhaṇantaṃ
na cāpi teṣāṃ manasīkaronti
69. puruṣaś ca so tatra tadā vicintayet
suduḥkhito 'smī[62] iha putracintayā
kiṃ mahya putrehi[63] aputrakasya
mā nāma dahyeyur ihāgninā ime
70. upāya so cintayi tasmi kāle
lubdhā ime krīḍanakeṣu bālāḥ
na cātra krīḍā ca ratī ca kācid
bālān' aho yādṛśu mūḍhabhāvaḥ
71. sa tān avocac chṛṇuthā kumārakā
nānāvidhā yānaka yā mamāsti
mṛgair ajair goṇavaraiś ca yuktā
uccā mahantā samalaṃkṛtāś[63a] ca
72. te[64] bāhyato asya niveśanasya
nirdhāvathā tehi karotha kāryam
yuṣmākam arthe maya kāritāni
niryātha tais tuṣṭamanāḥ sametya
73. te yāna etādṛśakān[65] niśāmya
ārabdhavīryās tvaritā hi bhūtvā
nirdhāvitās tatkṣaṇam eva sarve
ākāśi tiṣṭhanti dukhena[66] muktāḥ
74. puruṣaś ca so nirgata[67] dṛṣṭva dārakān
grāmasya madhye sthitu caccaresmin[68]
upaviśya siṃhāsani tān uvāca
aho ahaṃ nirvṛtu adya mārṣā[69]
75. ye duḥkhalabdhā mama te tapasvinaḥ
putrāḥ priyā orasa viṃśa bālāḥ

60. WT with v.l. and K', for °śātra (unmetr.). 61. §10.121. 62. WT with Nep. mss., for 'smi (O, unmetr.). 63. WT em. vuttehi, allegedly with Chin. 'house'; but the Chin. word renders atra of vs 70c (Chin. order confused); 'what's the use to me of (having had) sons, (if I am to be) sonless?' (so Kern, Tib.). 63a. all Nep. mss., for (em.) °tā; O cited as yuktā (metr. impossible). 64. all mss., for (em.) tā. 65. mss., for (em.) °kā. 66. KN's note confused; apparently O and 1 Nep. ms. have ca vipra-(muktāḥ), the others duḥkhe or duḥkhena (KN em. m.c.). 67. O and K', other Nep. mss. acc. to KN °tu, for (em.) °ti. 68. D. caccara. 69. most Nep. mss., O mārişā, for mārṣāḥ (em.?). Addressed to the villagers (to whom tān refers).

te dāruṇe durgagṛhe abhūvan
bahujantupūrṇe ca subhairave ca
76. ādīptake jvālasahasrapūrṇe
ratā ca te krīḍaratīṣu āsan
mayā ca te mocita adya sarve
yenāha nirvāṇu samāgato 'dya
77. sukhasthitaṃ taṃ pitaraṃ viditvā
upagamya te dāraka evam āhuḥ
dadāhi nas tāta yathābhibhāṣitaṃ
trividhāni yānāni manoramāṇi
78. sacet tavā satya dadāhi tāta[70]
yad bhāṣitaṃ tatra niveśanasmi[71]
trividhāni yānān' iha saṃpradāsye
dadasva kālo 'yam ihādya teṣām
79. puruṣaś ca so kośabalī bhaveta[71a]
suvarṇarūpyāmaṇimuktikasya
hiraṇya dāsāś ca analpakāḥ syur
upasthape[72] ekavidhāṃ sa yānān[73]
80. ratnāmayān[74] goṇarathān viśiṣṭān
savedikān kiṅkiṇijālanaddhān
chattradhvajebhiḥ samalaṃkṛtāṃś ca
muktāmaṇījālikachāditāṃś ca
81. suvarṇapuṣpāṇa sahasradāmair[75]
deśeṣu-deśeṣu pralambamānaiḥ
vastrair udāraiḥ parisaṃvṛtāṃś ca
pratyāstṛtān duṣyavaraiś ca śuklaiḥ
82. mṛdukāna paṭṭāna tathaiva tatra
varatūlikā saṃstṛta yehi te rathāḥ
pratyāstṛtāḥ koṭisahasramūlyair
varaiś ca koṭambakahaṃsalakṣaṇaiḥ[76]
83. śvetāḥ supuṣṭā balavanta goṇā
mahāpramāṇā abhidarśanīyāḥ
ye yojitā ratnaratheṣu teṣu
pariggṛhītāḥ[77] puruṣair anekaiḥ
84. etādṛśān so puruṣo dadāti
putrāṇa sarvāṇa varān viśiṣṭān
te cāpi tuṣṭāttamanāś ca tehi
diśāś ca vidiśāś ca vrajanti krīḍakāḥ
85. em[78] ev' ahaṃ Śārisutā maharṣī
sattvāna trāṇañ ca pitā ca bhomi

70. O (except tava, unmetr.); Nep. mss. vary, all corrupt; KN and WT have different synthetic and artificial versions. **71.** O, for °ne te. **71a.** O viditvā. **72.** WT with O and K', for (em.) upasthāyakā (Nep. mss. upasthāna an-). **73.** K' (except corruptly sa-hāyān; other mss. yānān or yānam), for (an)ekavidhāna-yānā. **74.** for all accs. in verses 80–81 (with WT and all mss.), KN em. noms., -ā(ḥ, etc.) for -ān etc. **75.** WT with O, for kṛtaiś ca dā°. **76.** D. **77.** for parigṛ°; §2.7. **78.** WT with most mss. for evam (unmetr.).

putrāś ca me[79] prāṇina sarvi mahyaṃ
traidhātuke kāmavilagna bālāḥ
86. traidhātukaṃ co[80] yatha tan niveśanaṃ
subhairavaṃ duḥkhaśatābhikīrṇam
aśeṣataḥ[81] prajvalitaṃ samantāj
jātījarāvyādhiśatair anekaiḥ
87. ahaṃ ca traidhātukamukta śānto
ekāntasthāyī pavane vasāmi
traidhātukaṃ co[82] mam' idaṃ parigraho
ye hy atra dahyanti mam' eti[83] putrāḥ
88. ahaṃ ca ādīnava tatra darśayī[84]
viditva trāṇaṃ aham eva caiṣām
na caiva me te śruṇi sarvi bālā
yathāpi kāmeṣu vilagnabuddhayaḥ
89. upāyakauśalyam ahaṃ prayojayī
yānāni trīṇī[85] pravadāmi caiṣām
jñātvā ca traidhātuki 'nekadoṣān
nirdhāvanārthāya[86] vadāmy upāyam
90. māṃ caiva ye niśrita bhonti putrāḥ
ṣaḍabhijña traividya[87] mahānubhāvāḥ
pratyekabuddhāś ca bhavanti ye 'tra
avivartikā ye c' iha bodhisattvāḥ
91. samāna putrāṇ' aha[88] teṣa tatkṣaṇam
imena dṛṣṭāntavareṇa paṇḍitā[89]
vadāmi ekaṃ imu buddhayānaṃ
parigṛhṇathā sarvi jinā bhaviṣyatha
92. taṃ caiva iṣṭaṃ[90] sumanoramaṃ ca
viśiṣṭarūpaṃ c'[91] iha sarvaloke
buddhāna jñānaṃ dvipadottamānām
udārarūpaṃ tatha vandanīyam
93. balāni dhyānāni tathā vimokṣāḥ
samādhināṃ koṭisahasr' anekā[92]
ayaṃ ratho īdṛśako variṣṭho
ramanti yeno[93] sada buddhaputrāḥ
94. krīḍanta[94] etena kṣapenti rātrayo
divasāṃś ca pakṣān ṛtavo 'tha māsān
saṃvatsarān antarakalpa-m-eva[95] ca
kṣapenti kalpāna sahasrakoṭyaḥ

79. all mss. (incl. K') but one, for te; this is possessive; mahyaṃ (§7.45) does not duplicate it. **80.** WT with K', for ca (unmetr.). **81.** so edd. with O; may be lect. fac. for Nep. mss. aśeṣa taṃ. **82.** m.c. with WT, for ca. **83.** most mss., for mamaiti. **84.** WT with most mss., for (2 mss.) °yīṃ. **85.** m.c. for trīṇi. **86.** ? perh. read nirvāpan° with v.l.; O cited as nirdhāpan°. **87.** so divide; adjectives. **88.** v.l. incl. O, for ahu. **89.** so (or °tāṃ) most mss. (§8.27), for °ta; O Kolita, a name for Maudgalyāyana, not Śāriputra. **90.** O, for tac cā variṣṭhaṃ. **91.** all mss. v'; D. va (2). **92.** O, for koṭiśatā c' anekā (Nep. mss. °ke). **93.** WT with K' (actually yenā, which may be read), for yena. **94.** WT with K', for °ti. **95.** edd. with O (acc. pl.; §4.59); Nep. mss. °pa eva.

95. ṛatnāmayaṃ yānam idaṃ variṣṭhaṃ
gacchanti yeno[96] iha bodhimaṇḍe
vikrīḍamānā iha[96a] bodhisattvā
ye co[97] śṛṇontī[98] sugatasya śrāvakāḥ
96. evaṃ prajānāhi tvam adya Tiṣya
nāstīha yānaṃ dvitiyaṃ kahiṃcit
diśo daśā[99] sarva gaveṣayitvā
sthāpetv' upāyaṃ puruṣottamānām
97. putrā mamā[99] yūyam ahaṃ pitā vo
mayā ca niṣkāsita yūya duḥkhāt
paridahyamānā bahukalpakoṭyas
traidhātukāto bhayabhairavātu[200]
98. evaṃ c' ahaṃ tatra vadāmi nirvṛtim
anirvṛtā yūya tathaiva cādya
saṃsāraduḥkhād iha yūya muktā
bauddhaṃ tu yānaṃ va[1] gaveṣitavyam
99. ye bodhisattvāś ca ihāsti kecic
chṛṇvanti sarve mama dharmanetrīḥ[2]
upāyakauśalyam idaṃ jinasya
yathā vinetī[3] bahubodhisattvān
100. hīneṣu kāmeṣu jugupsiteṣu
ramanti ye tatra bahūni bālāḥ[4]
duḥkhaṃ tadā bhāṣati lokanāyako
ananyathāvādir ihāryasatyam
101. ye cāpi duḥkhasya ajānamānā
mūlaṃ na paśyant' iha bālabuddhayaḥ
mārgaṃ hi teṣām anudarśayāmi
samudāgamas tṛṣṇa[5] dukhasya saṃbhavaḥ
102. tṛṣṇānirodhe[6] 'tha[6a] sadā aniśritā
nirodhasatyaṃ tṛtiyaṃ mamedam[7]
ananyathā yena ca mucyate naro
mārgaṃ hi bhāvitva vimukta bhoti
103. kutaś ca te Śārisutā vimuktā
asantagrāhātu[7a] vimukta bhonti
na ca tāva te sarvata mukta bhonti
anirvṛtāṃs tān vadatīha nāyakaḥ[8]
104. kiṃkāraṇaṃ nāsya vadāmi mokṣam
aprāpt' imām uttamam agrabodhim

96. m.c. for yena. **96a.** so apparently most mss., for bahu. **97.** m.c. for ca. **98.** WT with v.l. incl. K′, for °ti. **99.** m.c. (with WT) for daśa and mama. **200.** O, for °taḥ. **1.** WT, with Tib. ñid, 'self, same', for ca; D va (2). **2.** O, for buddhanetrīm (Nep. mss. mostly °trīn). **3.** O (°ti, unmetr.), for Nep. mss. yeno vinetrī (KN °ti). **4.** O, for ratā yadā bhont' imi yatra (WT with v.l. atra) sattvāḥ; on bahūni cf. §6.14. **5.** §9.67; D. samudāgama (2). **6.** K′ (WT em. °dho), for KN °dhā; 'on suppression of desire'. **6a.** WT with K′, for -rtha. **7.** O, for idaṃ me. **7a.** O cited as °grahebhir; could be read as °grāhebhi. **8.** O °kāḥ; others cited as vināyakaḥ (for -ha nā°?)

mamaiṣa chando ahu dharmarājā
sukhāpanārthāy' iha loki jātaḥ

105. iya Śāriputrā[8a] mama dharmamudrā
yā paścakāle mama adya[9] bhāṣitā
hitāya lokasya sadevakasya
diśāsu vidiśāsu prakāśayasva[10]

106. yaś cāpi te bhāṣati[11] kaści sattvaḥ[11a]
anumodayāmīti vadeta vācam
mūrdhnena cedaṃ pratigṛhya sūtraṃ
avivartikaṃ taṃ nara dhārayāhi[12]

107. dṛṣṭāś ca teno[13] purimās tathāgatāḥ
satkāru teṣāṃ ca kṛto abhūṣi
śrutaś ca dharmo ayam evarūpo
ya eta sūtraṃ abhiśraddadheta

108. ahaṃ ca tvaṃ caiva bhaveta dṛṣṭo
ayaṃ ca sarvo mama bhikṣusaṃghaḥ
dṛṣṭāś ca sarve imi bodhisattvā
ye śraddadhe bhāṣitam eta[14] mahyam

109. sūtraṃ imaṃ bālajanapramohanaṃ[15]
abhijña jñātvāna mamaita bhāṣitam
viṣayo hi naivāst' iha śrāvakāṇāṃ
pratyekabuddhāna gatir na cātra

110. adhimuktisāras tuva Śāriputra
kiṃ vā punar mahya ime 'nyaśrāvakā[16]
ete 'pi śraddhāya mamaiva yānti
pratyātmikaṃ jñānu na caiva vidyate

111. mā caiva tvaṃ stambhiṣu mā ca māniṣu
māyuktayogīṣu bravīhi sūtram[17]
bālā hi kāmeṣu sadā pramattā[18]
ajānakā dharma pratikṣipanti[19]

112. upāyakauśalya kṣipitva mahyaṃ
yā buddhanetrī sada loki saṃsthitā
bhṛkuṭiṃ karitvāna kṣipitva yānaṃ
vipāka[20] tasyeha śṛṇohi tīvram

113. kṣipitva sūtraṃ idam evarūpaṃ
mayi tiṣṭhamāne parinirvṛte vā
bhikṣūṣu vā teṣu khilāni kṛtvā
teṣāṃ vipākaṃ mam' ihaṃ[21] śṛṇotha[22]

114. cyutvā manuṣyeṣu avīci teṣāṃ
pratiṣṭha bhotī paripūrṇa kalpān

8a. WT with K′, for °tra. **9.** so KN, apparently with O; their note says only 'all but O mayādya' (for mama adya), which, to be metrical, implies yā paścime kāli (so WT, intended by K′). **10.** O, for ca deśayasva. **11.** loc.; §7.10; K′ bhāṣita. **11a.** mss., for °tvo. **12.** O, for naru dhārayes tvam. **13.** WT with v.l., for (unmetr.) tena. **14.** WT with K′ and Tib. (ḥdi), for agra. **15.** -aṃ mss., for -am. On next line see §§9.65; 35.32. **16.** mss., for (em.) °kāḥ. **17.** O, for °gīna vadesi etat. **18.** 'heedless'; not 'enivrés' (Burnouf) or 'revelling' (Kern). **19.** O, for dharmu kṣipeyu bhāṣitam. **20.** v.l. incl. O, for °ku. **21.** §2.74; contrary to WT, K′ reads mam' iha. **22.** most mss. incl. O, for śṛṇohi.

tataś ca bhūyo 'ntarakalp' anekāṃś
cyutāś-cyutās tatra[23] patanti bālāḥ

115. yadā ca narakebhya[24] cyutā bhavanti
tiryaggatau te punar eva yānti[25]
sudurbalāḥ śvānaśṛgālabhūtāḥ
pareṣa krīḍāpanakā bhavanti

116. varṇena te kālaka tatra bhonti
kalmāṣakā vrāṇika kaṇḍulāś ca
nirlomakā durbala bhonti bhūyo
vidveṣamāṇā mama agrabodhim

117. jugupsitā prāṇiṣu nitya bhonti
loṣṭaprahārābhihatā rudantaḥ
daṇḍena[26] saṃtrāsita tatra-tatra
kṣudhāpipāsāhata śuṣkagātrāḥ

118. uṣṭrātha vā gardabha bhonti bhūyo
bhāraṃ vahantaḥ kaśadaṇḍatāḍitāḥ
āhāracintām anucintayanto
ye buddhanetrī kṣipi bālabuddhayaḥ

119. punaś ca te kroṣṭuka bhonti tatra
bībhatsakāḥ kāṇaku kuṇṭhakāś[27] ca
utpīḍitā grāmakumārakehi
loṣṭaprahārābhihatāś ca bālāḥ

120. tataś cyavitvāna ca bhūyu bālāḥ
pañcāśatīnāṃ[28] sama yojanānām
dīrghātmabhāvā hi bhavanti prāṇino
jaḍāś ca mūḍhāḥ parivartamānāḥ

121. apādakā bhonti ca koḍasakkino[29]
vikhādyamānā bahuprāṇikoṭibhiḥ
sudāruṇāṃ te anubhonti vedanāṃ
kṣipitva sūtraṃ idam evarūpam

122. puruṣātmabhāvaṃ ca yadā labhante
te kuṇḍakā laṅgaka bhonti tatra
kubjātha kāṇā ca jaḍā jaghanyā
aśraddadhitvā[30] ima sūtra mahyam

123. apratyanīyāś ca bhavanti loke
pūtī mukhāt teṣa pravāti gandhaḥ
yakṣagraho ukrami[31] teṣa kāye
aśraddadhantān' ima buddhabodhim

124. daridrakā preṣaṇakārakāś ca
upasthāyakā nitya parasya durbalā[32].
ābādha teṣāṃ bahukāś ca bhonti
anāthabhūtā viharanti loke

23. WT with O and K', for cyutāś ca tatra pra-. **24.** O, for °keṣu. **25.** O, for tataś ca tiryakṣu vrajanti bhūyaḥ. **26.** WT with O and K', for daṇḍeṣu. **27.** WT with K' (see D.), for kaṇḍakāś. **28.** D. **29.** D., and §2.6; perhaps refers to worms (eaten e.g. by ants). **30.** O, for °dadhantā. **31.** D.; §3.54. **32.** all mss., for (em.) °lāḥ.

125. yasyaiva te tatra karonti sevanām
adātukāmo bhavatī sa teṣām
dattaṃ pi co naśyati kṣipram eva
phalaṃ hi pāpasya im' evarūpam
126. yac cāpi te tatra labhanti auṣadhaṃ
suyuktarūpaṃ kuśalehi dattam
tenāpi teṣāṃ ruju bhūya vardhate
so vyādhir antaṃ na kadāci gacchati
127. anyehi[33] cauryāṇi kṛtāni bhonti
ḍamarātha ḍimbās tatha vigrahāś ca
dravyāpahārāś ca kṛtās tathānyair
nipatanti tasyopari pāpakarmaṇaḥ
128. na jātu so paśyati lokanāthaṃ
narendrarājaṃ mahi śāsamānam
tasyākṣaneṣv eva bhavātı vāsaṃ[34]
imāṃ kṣipitvā mama buddhanetrīm
129. na cāpi so dharma śṛṇoti bālo
badhiraś ca so bhoti acetanaś ca
kṣipitva bodhīm imam evarūpām
upaśānti tasyā na kadāci bhoti
130. sahasr' anekā nayutāṃś ca bhūyaḥ
kalpāna koṭyo yatha Gaṅgavālikāḥ
jaḍātmabhāvo vikalaś ca bhoti
kṣipitva sūtraṃ ima[35] pāpakaṃ phalam
131. udyānabhūmī narako 'sya bhoti
niveśanaṃ tasya apāyabhūmiḥ
khara sūkarā kroṣṭuka bhūmisūcakāḥ[36]
pratiṣṭhitasyeha bhavanti nityam
132. manuṣyabhāvatvam upetya cāpi
andhatva badhiratva jaḍatvam eti
parapreṣya so bhoti daridra nityaṃ
tahi[37] kāli tasyābharaṇān' imāni[38]
133. vastrāṇi co vyādhaya bhonti tasya
vraṇāna koṭīnayutāś ca kāye
vicarcikā kaṇḍu tathaiva pāmā
kuṣṭhaṃ kilāsaṃ tatha āmagandhaḥ
134. satkāyadṛṣṭiś ca ghanāsya bhoti
udīryate krodhabalaṃ ca tasya
saṃrāgu tasyātibhṛśaṃ ca bhoti
tiryāṇa yonīṣu ca so sadāramī[39]

33. they are blamed for the offenses of others; Burnouf and Kern misunderstand the verse. **34.** O, for hi vāsu bhoti. **35.** K' (otherwise as text) for imu; O idaṃ (unmetr.). **36.** D (O °cikāḥ). **37.** O, for tat-. **38.** O tasyāvaraṇā ('garments') bhavanti; Tib. as text; Tib. also supports vastrāṇi, which O has lost, in next vs. **39.** D. (two later Chin. versions see in this a reference to bestiality, perhaps rightly; the alternative would be, to incarnation as animals.)

135. saced ahaṃ Śārisutādya tasya
paripūrṇa kalpaṃ pravadeya doṣān
yo hī mamā etu kṣipeta[40] sūtraṃ
paryantu doṣāṇa na śakya gantum
136. saṃpaśyamāno idam eva cārthaṃ
tvāṃ saṃdiśāmī ahu Śāriputra
mā haiva tvaṃ[41] bālajanasya agrato
bhāṣiṣyase sūtram im' evarūpam
137. ye tū ihā[42] vyakta bahuśrutāś ca
smṛtimanta ye paṇḍita jñānavantaḥ
ye prasthitā uttamam agrabodhiṃ
tāñ śrāvayes tvaṃ paramārtham etat
138. dṛṣṭāś ca yehī bahubuddhakoṭyaḥ
kuśalaṃ ca yai ropitam aprameyam
adhyāśayaś cā dṛḍha yeṣa co[43] syāt
tāñ śrāvayes tvaṃ paramārtham etat
139. ye vīryavantaḥ sada maitracittā
bhāventi maitrīm iha dīrgharātram
utsṛṣṭakāyā tatha jīvite[44] ca
teṣām idaṃ sūtra bhaṇeḥ samīkṣam[45]
140. anyonyasaṃkalpasagauravāś[46] ca
yeṣāṃ ca bālena[47] na saṃstavo 'sti
ye cāpi tuṣṭā girikandareṣu
tāñ śrāvayes tvaṃ ida sūtra bhadrakam
141. kalyāṇamitrāṃś ca niṣevamāṇāḥ
pāpāṃś ca mitrān parivarjayantāḥ
yān īdṛśān paśyasi buddhaputrāṃs
teṣāgrataḥ sūtram idaṃ bhaṇasva[48]
142. acchidraśīlā maṇiratnasādṛśā
vaipulyasūtrāṇa parigrahe sthitāḥ
paśyesi yān īdṛśa buddhaputrāṃs
bhāṣāhi teṣāgrata eta sūtram[49]
143. akrodhanā ye sada ārjavāś ca
kṛpāsamanvāgata sarvaprāṇiṣu
sagauravā ye sugatasya antike
teṣāgrataḥ sūtram idaṃ bhaṇāhi[50]
144. yo dharma[51] bhāṣe pariṣāya madhye
asaṅgaprāpto vadi[52] yuktamānasaḥ

40. v.l. incl. O, for °eya. **41.** KN's conjecture, too easy to be convincing; but I can make nothing better out of the ms. readings; K' is different from any, but I am not sure what it intends. **42.** m.c. for iha. **43.** (or cā) m.c. (with WT) for ca; this word (after cā) seems to imply dṛḍha as noun, 'firmness'; BR (s.v. darh) allege this use, but I find no example of it in the passages cited. **44.** loc.; 'and (who) likewise (act thus) in respect to life'. **45.** D. **46.** D. saṃkalpa, end. **47.** O, for bālehi (most Nep. mss. bāleṣu). **48.** O, for teṣām idaṃ sūtra prakāśayesi. **49.** O, for teṣāgrataḥ sūtram idaṃ vadesi. **50.** O, for vadesi. **51.** O and all Nep. mss. but one, for °mu. **52.** §29.14.

dṛṣṭāntakoṭīnayutair anekais
tasyeda sūtraṃ upadarśayesi[53]

145. mūrdhnāñjaliṃ yaś ca karitva tiṣṭhet[54]
sarvajñabhāvaṃ parimārgamāṇaḥ
diśā ca vidiśāpi[55] ca caṅkrameta
subhāṣitaṃ bhikṣu gaveṣamāṇaḥ

146. vaipulyasūtrāṇi ca dhārayanto[56]
na cāsya rucyanti kadācid anye
ekā[57] pi gāthāṃ na ca dhāraye 'nyataḥ
saṃśrāvayes tvaṃ varasūtram etat

147. tathāgatasyo[58] yatha dhātu[59] dhārayet
tathaiva yo mārgati koci taṃ naraḥ
em eva yo mārgati sūtram īdṛśaṃ
labhitva co[60] mūrdhani dhārayeta

148. anyebhi sūtrebhi na tasya[61] cintā
lokāyataṃ naiva kadāci cintayī[62]
bālāna etādṛśa bhonti gocarās
tāṃs tvaṃ vivarjitva prakāśayesi[63]

149. pūrṇaṃ pi kalpaṃ ahu Śāriputra
vadeyam ākārasahasrakoṭyaḥ
ye prasthitā uttamam agrabodhiṃ
teṣāgrataḥ sūtram idaṃ bhaṇāhi[64]

ity ārya-Saddharmapuṇḍarīke dharmaparyāya aupamyaparivarto nāma tṛtīyaḥ

53. O °yāsi (to be adopted? cf. §§27.4–8). **54.** O, for karoti baddhvā (mss. vadhvā). **55.** O, for diśo daśa (mss. daśo; or daśo diśo) yo 'pi. **56.** O, for °yeta. **57.** most mss., for (1 Nep. ms.) ekāṃ. **58.** m.c. (with WT) for °sya. **59.** D. dhātu (7). **60.** m.c. (with WT) for ca. **61.** O, for anyeṣu sūtreṣu na kadāci (read kāci with K' and WT). **62.** O, for lokāyatair anyataraiś ca śāstraiḥ. **63.** O, for °yer (mss. °yed) idam. **64.** O, for vadesi.